On your 22nd, here is a book showing how this land you are so welcomed to looks like.

I am so happy you have crossed the ocean this year!

Very happy birthday, my dear Sammie.

Please, come back!

Love,

Sephine

May 31st, 2004

CHARENTE MARITIME

Richesses à Découvrir

CHARENTE MARITIME

Richesses à Découvrir

texte
Christian Gensbeitel

photographies
Michel Garnier

INTRODUCTION

La Charente-Maritime se place dans le groupe de tête des départements français les plus visités. Si son littoral est incontestablement la motivation principale de cet afflux touristique, l'intérieur des terres n'en représente pas moins un complément indispensable, une réserve de richesses à découvrir, d'émotions à partager, de rencontres dont on gardera le souvenir. De plus en plus, les visiteurs apprécient le charme des promenades sur la Charente, les offres culturelles et festives de La Rochelle, Saintes ou Rochefort, la découverte des églises romanes, dont la variété et l'exubérance du décor n'ont pas d'égal. Le besoin de convivialité, la recherche d'un contact réel avec les terroirs et les gens qui y vivent entraînent un essor du tourisme vert, de l'accueil à la ferme ou des séjours chez l'habitant sous diverses formes. Le besoin d'authenticité suscite un regain d'intérêt pour la qualité des produits du terroir. Tout cela est ici à portée de main, non loin des plages et sous un soleil généreux.

Cet ouvrage se veut une fenêtre ouverte sur cette multitude de rencontres possibles avec des pays qui, des îles jusqu'au fond de la forêt, foisonnent de trésors dont certains — le cognac, les huîtres, l'art roman — sont déjà de renommée internationale. Mais ce parcours ne s'arrête pas à ces richesses reconnues. À travers des cheminements parallèles, celui du texte et celui de l'image, nous voulons simplement vous donner envie de goûter à toutes les saveurs d'un département où terre et mer se rencontrent en un équilibre fragile et harmonieux. Cet itinéraire se découpe en six grandes étapes, qui correspondent plus ou moins à des « pays », des terroirs qui ne se conforment pas nécessairement à des entités administratives. On ne cherchera pas ici une cartographie rigoureuse, mais plutôt une flânerie buissonnière dont l'ambition principale est de mettre l'eau à la bouche.

PAYS ROCHELAIS, DE RÉ ET DE L'AUNIS

L'Aunis, qui inclut l'île de Ré, et dont le sort est lié à celui de la ville de La Rochelle depuis le Moyen Âge, s'est forgé une identité singulière au cours de l'Histoire, à l'intérieur même du territoire de l'ancienne Saintonge. D'abord arrière-pays d'un port en plein développement, cette petite province limitrophe du Poitou s'est hissée au rang d'un diocèse indépendant en 1648, au moment du démembrement de ceux de Saintes et de Maillezais, avant de devenir le lieu de résidence des Intendants, les fonctionnaires royaux chargés d'administrer conjointement l'Aunis et la Saintonge. En 1810, La Rochelle fut promue chef-lieu du département, au détriment de Saintes, et assume aujourd'hui avec dynamisme son rôle d'agglomération principale de la Charente-Maritime. De ce fait, l'Aunis est une région des plus contrastées, où de vastes zones agricoles et marécageuses côtoient l'urbanisation galopante de la métropole et les infrastructures touristiques du secteur littoral. Partagée entre terre et mer, à l'image du département, elle en reflète assez bien les différentes composantes tout en cultivant sa particularité.

RÉ LA BLANCHE, L'ILE DU SEL

Parce que nous sommes dans un pays de marins-paysans, qui ont toujours le regard tourné vers les horizons lointains, abordons l'Aunis par l'Océan, et par son île, petit paradis touristique de réputation mondiale. Ré la Blanche, dont le nom résonne dans les esprits en mal de vacances comme un écho aux destinations les plus exotiques, doit pourtant son nom à une des activités les plus anciennes et les plus singulières de l'agriculture côtière : l'exploitation des salines. Ré était avant tout une île de sauniers et de vignerons. Cette langue de terre battue par les vents et secouée par les flots n'est que le prolongement des terres marécageuses et ambiguës d'un continent qui s'effiloche. N'a-t-il pas fallu un pont et beaucoup de polémiques pour que l'île devienne ou redevienne une presqu'île ? Ce ne sont sans doute pas les centaines de milliers de touristes, venus de toute l'Europe, ou simplement de La Rochelle et du département, qui s'en plaindront aujourd'hui. Pas plus sans doute que les tenants d'une économie fortement saisonnière, dont le tourisme est une des principales ressources. La nostalgie n'est plus de mise. Faut-il le regretter ? À chacun d'en juger.

La beauté est toujours là pourtant, austère et lumineuse, sur cette île morcelée en plusieurs entités que les hommes et les éléments ont reliées entre elles, et ce parfois à des périodes récentes. Car Ré est une mosaïque composée de quatre îles primitives : Les Portes, Ars, Loix et Ré, qu'un travail patient et obstiné d'endiguement a réunies en une seule.

Cette île, si plate qu'elle paraît à tout moment sur le point d'être submergée par les flots, compte pourtant une douzaine de communes, elles-mêmes fragmentées chacune en plusieurs villages.

Marais salants, grandes plages de sable, horizon ponctué par un clocher servant d'amer. Un condensé de l'île de Ré.

De Sainte-Marie-de-Ré, Bois-Plage ou la Couarde, bourgs viticoles du sud-est, jusqu'au sanctuaire du tourisme huppé des Portes-en-Ré, à l'extrême nord-ouest, partout s'exerce le charme des maisons blanchies à la chaux et des volets aux couleurs vives – le vert et le bleu, couleurs du département – assortis aux indispensables roses trémières qui, depuis quelques décennies, ne sont plus l'apanage des îles, puisqu'elles ont essaimé dans tout l'arrière-pays.

On n'arrive plus que rarement à Ré par la mer.

Le pont ; de jour comme de nuit, sa longue courbe portée par des piliers en béton s'étire sur plus de 3 km.

Le pont, qui ne fit pas l'unanimité au moment de sa construction en 1988, fait désormais partie du paysage, et son péage permet de freiner un envahissement pouvant s'avérer catastrophique pour le fragile équilibre éco-logique rétais. Le pont prend pied sur l'île à la pointe de Sablanceaux, dont la plage a connu une renommée cinématographique inattendue en prêtant son cadre au tournage du film *Le jour le plus long* en 1961.

La Flotte-en-Ré est la principale agglomé-ration de la pointe méridionale de l'île. Au charme des ruelles de la bourgade et de son port s'ajoute la présence, à l'extérieur du village, du fort de la Prée, construit par l'ingénieur d'Argencours, et des ruines de l'abbaye des Châteliers.

L'île de Ré , ce ne sont pas seulement de vastes espaces balayés par les vents du large : à l'abri des havres, les ports de plaisance s'ouvrent sur des ruelles animées qui peuvent receler de petits sanctuaires à la mémoire d'un passé révolu, comme la Maison du Platin à la La Flotte-en-Ré.

Les vestiges de l'abbaye des Châteliers, ancien monastère cistercien fondé au 12e siècle par Isaac de l'Étoile, venu du Poitou. Des ruines gothiques sur la lande, propices à la rêverie romantique.

LE PHARE DES BALEINES

Le premier, construit au 17e siècle, est un des plus vieux phares de France, encore sommé d'un crénelage qui lui donne un air médiéval. Le second, haut de 57 m, vint le supplanter en 1854. Depuis lors, ce curieux duo veille sur la pointe nord de l'île de Ré, à l'extrémité de la grande conche des Baleines, une des plages les plus agréables de l'île.

À l'autre extrémité de l'île, les deux phares des Baleines dominent la conche du même nom. L'échouage de cétacés aurait été fréquent dès l'Antiquité, sur cette vaste plage qui s'étire au nord vers le village des Portes et les bancs de sable de Trousse-Chemise chantés par Charles Aznavour. Ars-en-Ré conserve l'église la plus ancienne de l'île, au cœur d'un bourg prospère.

L'église Saint-Étienne d'Ars-en-Ré, ancienne dépendance de l'abbaye poitevine de Saint-Michel-en-l'Herm. Sa nef du 11e siècle est précédée d'une travée voûtée d'ogives primitives et d'un portail du siècle suivant. La flèche flamboyante qui couronne son clocher assure fièrement sa fonction d'amer.

Saint-Martin de Ré, capitale de l'île, est une ancienne place forte, maintes fois convoitée, maintes fois attaquée. Mais son enceinte, complétée par une vaste citadelle, construite par Vauban et aujourd'hui transformée en centre pénitentiaire, lui conserve un air martial. Le souvenir du siège de 1627, où Buckingham voulut venir au secours des Rochelais, fait encore partie de la mémoire historique de l'île. L'église Saint-Martin, édifice gothique fortifié et partiellement ruiné, est l'une des plus singulières du département. Sa silhouette fantomatique veille sur les maisons à pans de bois – la maison des Vinatiers en est un bel exemple – et les ruelles animées de la vieille cité, envahies par les touristes aux beaux jours. En contrebas, l'îlot sur lequel le gouverneur de Ré avait jadis installé sa résidence produit un effet des plus pittoresques au milieu du port.

*Saint-Martin, côté ville,
depuis le clocher de
l'église, et côté port,
où cohabitent bâteaux
de pêche et de plaisance.*

L'hôtel de Clerjotte est une des plus belles demeures nobles de Saint-Martin. Il comprend un logis du 15e siècle flanqué d'une tourelle d'escalier en vis, ainsi que deux ailes ajoutées au 17e siècle, dont fait partie cette belle galerie. Il abrite les collections réunies au début du 20e siècle par Ernest Cognacq, le fondateur de la Samaritaine. Après avoir visité le musée, les ruelles du coeur de ville bordées de roses trémières invitent à la flânerie.

*Les deux anciennes portes de ville
de Saint-Martin, celle de Toiras,
à l'est, et celle des Campani, à
l'ouest, ne sont plus prises d'asaut
que par les touristes, et leurs
gardiens sont on ne peut plus
pacifiques.*

Sur l'île, la vigne et l'agriculture terrienne trouvent leur prolongement dans les cultures maritimes. Les marais salants en sont l'illustration la plus singulière. Ils font partie intégrante de l'histoire de ce bout de terre et les sauniers sont les agriculteurs du littoral, comme les ostréiculteurs, qui les ont souvent remplacés pour élever l'huître là où fleurissait jadis le sel. La pêche n'est pas en reste, bien sûr, même si elle est essentiellement pratiquée comme une cueillette, sur les rochers et sur l'estran. Les Rétais ont à cœur de préserver les pêcheries traditionnelles formées de murets en pierre sèche se dévoilant à marée basse et fort justement appelées « écluses à poissons ».

L'île de Ré est aussi un havre pour de nombreux oiseaux. Dans la réserve naturelle de Lileau-des-Niges, entre Les Portes et Ars, les bernaches, sternes, aigrettes et autres cormorans trouvent refuge dans le riche milieu des marais, sous le regard bienveillant de la Ligue de Protection des Oiseaux.

PÊCHE EN ÉCLUSES À POISSONS

Les écluses à poissons constituent une des techniques de pêche ancestrales pratiquées sur les îles du littoral charentais. Ces digues de pierre stabilisées par les moules et crustacés qui s'y fixent, forment une nasse recouverte par les eaux à marée haute. Lorsque la mer se retire, les poissons sont pris au piège. Comme le montre Monsieur Guion, pêcheur à Sainte-Marie, il suffit alors de les assommer à l'aide d'un sabre en fer plat non tranchant, l'épée d'écluse, après les avoir traqués avec le filet appelé la « treille ». Une fois attrapé, le poisson est jeté dans la « gourbeille », un panier en osier tenu en bandoulière.

À côté du sel, le vin ainsi que ses dérivés, tels que le pineau, constitue un produit traditionnel de l'île de Ré. La cave coopérative des vignerons de l'île de Ré, au Bois-Plage-en-Ré, nous en donne la preuve.

QUICHENOTTES

Mme Roussel, installée à Sainte-Marie-de-Ré, est une des dernières personnes à perpétuer la tradition des coiffes aunisiennes, appelées les quichenottes. Une légende attribue l'origine de ce nom à la fière vertu des femmes de la région qui refusaient aux envahisseurs anglais le baiser qui leur était demandé. « Kiss not » aurait dérivé en quichenotte. Une belle histoire pour expliquer une forme de coiffe très fermée.

MARAIS SALANTS

Le sel est l'or de l'île de Ré. L'aménagement de l'île et sa richesse sont essentiellement imputables à l'exploitation des marais salants, initiée dès le 11e siècle, notamment par les moines de l'abbaye poitevine de Saint-Michel-en-l'Herm. La poldérisation des marais a permis de gagner de grandes surfaces sur la mer. Ces « prises », fermées par des digues, étaient savamment compartimentées pour favoriser la décantation de l'eau de mer et la récolte des précieux cristaux de sel. Le travail des sauniers, tirant le sel à l'aide de leur simoussi, une sorte de râteau à long manche en frêne, a rythmé des siècles de la vie rétaise. La production s'est aujourd'hui considérablement réduite, concurrencée par le sel du Midi. Seule une poignée de sauniers continue de faire vivre cette activité devenue marginale et beaucoup de marais ont été reconvertis dans l'ostréiculture.

LA ROCHELLE, VENT DEBOUT

Rebelle et indépendante, prospère et bourgeoise, humaniste et protestante, tantôt austère tantôt brillante, dynamique et ouverte sur le monde, mais aussi négrière, fière et hautaine derrière ses remparts, selon les périodes de l'Histoire, La Rochelle, c'est avant tout un destin hors du commun. Cette ville est un monde en soi, un des fleurons de cette aristocratie portuaire qui s'égrène sur la côte atlantique française et que les pauvres terriens que sont la plupart d'entre nous ne pourront jamais comprendre pleinement. C'est aussi une des plus belles villes maritimes d'Europe, où les rêves se réalisent encore toutes voiles dehors.

Née au 11e siècle d'un marais, la cité portuaire de Rupella, favorisée par les ducs d'Aquitaine au détriment de la trop remuante seigneurie de Châtelaillon, devait prospérer rapidement au cours du Moyen Âge pour devenir le principal port de mer entre Nantes et Bordeaux. En l'absence d'un grand port maritime sur l'embouchure de la Charente, vins charentais, céramiques saintongeaises et autres produits partaient de La Rochelle à la conquête de l'Europe, puis du Nouveau Monde.

La cité, abritée derrière ses remparts, gouvernée par ses échevins, bourgeois, armateurs et aventuriers, a su habilement se préserver des destructions de la guerre de Cent Ans, alors que son arrière-pays était ravagé. Après un répit d'un siècle, l'introduction de la Réforme fit de la cité rochelaise un haut lieu du protestantisme. Devenue une place de sûreté huguenote à la suite de l'Édit de Nantes, sa révolte lui valut en 1628 un siège célèbre, durant lequel la résistance acharnée de ses habitants, conduits par le maire Jean Guiton, ne fut brisée que par la féroce détermination de Louis XIII et de Richelieu.

Mais l'activité portuaire n'en reprit que de plus belle après ces épisodes douloureux. Devenue une plaque tournante du trop fameux « commerce triangulaire », La Rochelle retrouva rapidement sa prospérité d'antan, malgré le départ vers le Nouveau Monde d'une partie de l'élite protestante après la Révocation.

De ces riches heures médiévales, les tours dressées à l'entrée du Vieux Port sont

encore le symbole. La Tour de la Chaîne et la Tour Saint-Nicolas, deux constructions des 14e et 15e siècles qui se font face pour garder l'accès au bassin, évoquent la puissance rochelaise qui défiait les rois et leurs armées.

Un peu plus loin se dresse la Tour de la Lanterne ou encore Tour des Quatre-Sergents, surmontée d'une flèche flamboyante faisant fonction d'amer.

Le bassin du Vieux-Port, bien que dépossédé de son rôle historique, n'en demeure pas moins le chœur battant de La Rochelle, même si d'autres pôles d'animation se

sont imposés au cours des dernières décennies. Les activités touristiques et balnéaires, ainsi que les ambitions universitaires et technologiques de la vieille cité ont largement débordé le centre historique pour repousser de plus en plus loin, vers le nord, les industries portuaires et la pêche, qui contribuèrent jadis à la fortune de la ville.

C'est désormais à La Pallice, autour de l'ancienne base de sous-marins allemands de la dernière guerre, que se déploie l'activité d'un des plus importants ports de commerce de la côte française.

Le port de La Pallice n'est pas seulement le premier port de pêche du département.
Du point de vue commercial, il se place dans le groupe de tête des ports français.
Il est le premier en Europe pour les importations de bois exotique ; l'importation des
pâtes à papier et l'exportation de céréales constituent ses autres activités majeures.

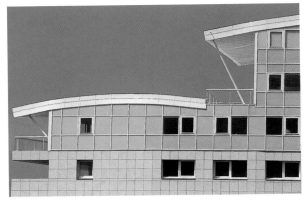

L'architecture contemporaine trouve dans le secteur des Minimes un pôle d'expression d'une grande diversité.

Les anciens bassins à flots qui avaient agrandi le Vieux-Port vers le sud aux 19e et 20e siècles et l'ancien encan ont été réaménagés pour accueillir le Musée maritime, derrière le Gabut, quartier moderne de petites maisons en bois d'allure scandinave qui font face à la ville historique. Au-delà, le vaste quartier des Minimes voit se succéder un florilège de créations architecturales contemporaines, autour du pôle universitaire et de la Médiathèque, du Technoforum, de l'aquarium et de l'un des plus vastes ensembles portuaires de plaisance en Europe. À l'extrême sud de cette pointe de terre, près du bâtiment des Portes Océanes, se dresse le nouveau siège du Conseil Général.

La vieille cité rochelaise a su préserver, malgré les vicissitudes de l'Histoire, un ensemble
bâti d'une grande richesse, et une atmosphère unique, baignée de lumière océane. On
a toujours plaisir à flâner dans les rues bordées de maisons à pans de bois et de façades en pierre aux rez-de-chaussée à arcades, ou à s'installer à une terrasse du quai
Duperré. Il suffit de fermer les yeux pour
remonter le temps en écoutant les cris des
mouettes.

Pour ceux qui arrivent ici par le TGV — fleu- ron de la technologie française fabriqué en partie dans les usines Alsthom d'Aytré — l'accueil est à la hauteur de la qualité archi- tecturale de la cité. La gare, construite entre 1909 et 1922 se range aujourd'hui parmi les plus belles de France. Pour se rendre en ville, il suffit de traverser à pied le quartier Saint- Nicolas, jadis habité par les marins bretons, avant de rejoindre le canal Maubec, qui se jette dans le Vieux-Port.

Au cœur de la vieille ville, qui s'ouvre sur le port par la Tour de la Grosse Horloge, l'Hôtel de Ville est un des plus anciens qui soient conservés en France, même s'il a été restauré et complété au 19e siècle par les architectes Lisch et Ballu. Édifié en plusieurs étapes, de la fin du 15e au début du 17e siè- cle, sa cour est encore fermée par une enceinte crénelée de la fin du Moyen Âge. Son aile principale est une œuvre de la seconde Renaissance, due au maître d'œu- vre Pierre Favreau. Le rythme des arcades

La Rochelle compte encore plusieurs maisons à pans de bois, qu'on appelait ici des « constructions en tappe ».

de son rez-de-chaussée se met au diapason des rues avoisinantes, tandis que les grandes fenêtres de l'étage alternent avec d'élégan- tes statues.

L'Hôtel de Ville de La Rochelle est un des plus anciens encore en usage en France. Derrière son porche gothique, la belle façade Renaissance est desservie par un escalier monumental.

La Rochelle est une ville festive, pendant les Francofolies, qui rassemblent des milliers de spectateurs au mois de juillet, mais aussi durant les mois d'hiver, où l'on trouve refuge dans la chaleur des cafés du port.

Du Vieux-Port à la cathédrale Saint-Louis, des frêles embarcations au grand vaisseau de pierre à l'ample façade classique.

Bien d'autres édifices possèdent encore des façades Renaissance, comme la fameuse maison dite « Henri II » — en fait la demeure de Hugues Pontard, maire de la ville en 1527 — avec ses galeries superposées ou celle, ornée de bustes, que l'on attribue, sans doute à tort, au médecin Nicolas Venette. Mais les 17e et 18e siècles, qui furent ceux de la prospérité revenue, ont largement contribué à façonner la silhouette urbaine rochelaise derrière la nouvelle enceinte fortifiée de l'ingénieur Ferry, dont les glacis offrent aujourd'hui une ceinture verte au cœur de ville. La maison Lechêne, rue des Merciers, avec ses lucarnes passantes et son décor sculpté, nous montre l'évolution maniériste qui fait suite à la Renaissance. Ici ou là, on se laisse séduire par le charme pittoresque de quelques tourelles ou échauguettes accrochées à des angles d'immeubles, par de menus détails, un masque léonin, une gargouille ou un cadran solaire. Sous les arcades de certaines rues, on se laisse entraîner sur les pavés de granit du Canada qui lestaient autrefois les navires et sur lesquels alternent l'ombre et la lumière en un jeu subtil. Ailleurs, la sévérité du néo-classicisme triomphant de la fin de l'Ancien Régime habille les façades, sur le Palais de Justice, l'hôtel de la Bourse ou encore l'hôtel de Crussol-d'Uzès, ancien palais épiscopal situé rue Gargoulleau. Cette rue relie la grande place de Verdun, bordée par la cathédrale, au marché couvert du 19e siècle à l'architecture bigarrée en métal et brique. C'est là un autre cœur battant de la ville, où l'on se retrouve dans les cafés après avoir rempli son panier dans la cohue matinale.

Les navigateurs qui viennent bénéficier du plus grand port de plaisance d'Europe – plus de 3000 anneaux – sont accueillis par le Phare du Bout du Monde, clin d'oeil poétique aux horizons lointains.

Si les guerres de Religion n'ont épargné que peu d'éléments de l'architecture religieuse du Moyen Âge, on n'oubliera pas, cependant, les clochers des églises Saint-Sauveur et Saint-Barthélémy, ultimes témoins de sanctuaires mutilés. Le second est d'ailleurs accolé à la cathédrale Saint-Louis, vaste construction classique, dont les plans sont dus à Jacques V Gabriel et à son fils Ange-Jacques, architectes du roi. Sa construction, commencée en 1752, ne s'acheva qu'en 1860 ! On y appréciera les peintures qui ornent la voûte de la chapelle Notre-Dame, œuvres du peintre rochelais William Bouguereau.

La Rochelle possède un ensemble de musées des plus remarquables, à même d'offrir au visiteur une palette de choix. La mer, sa faune et tous les aspects de la navigation sont largement représentés à l'Aquarium – le site le plus visité du département – au Musée Maritime, qui a investi le *France I*, ancien navire météorologique, ou encore au Musée Océanographique. Mais l'évocation des relations privilégiées de La Rochelle avec le Nouveau Monde mérite une halte dans le musée du même nom. Enfin, on n'oubliera pas les Beaux-Arts et les collections naturalistes d'Orbigny-Bernon.

Les ateliers Foutaine-Pajot contribuent fortement à la réputation de La Rochelle dans le domaine de la plaisance.

LE GRAND PAVOIS

Chaque année, au mois de septembre, la cité rochelaise connaît une effervescence sans pareil. Le Grand Pavois est plus qu'un salon nautique ; convivial et festif, c'est un des plus importants rassemblements de voiliers au monde. Ce temps fort permet de hisser haut le pavillon du nautisme rochelais, représenté par d'illustres constructeurs locaux, tels que Fountaine-Pajot, Gibert Marine ou Dufour et Sparks, et par des navigateurs hors pairs tels qu'Isabelle Autissier.

PAYS DE MARANS, PAYS DES MARAIS

En remontant vers le nord, le long de la côte d'Aunis, pour rejoindre la Sèvre Niortaise, qui marque la limite du département, on longe l'anse de l'Aiguillon. Des villages exposés aux vents du large se disséminent entre La Rochelle et Marans. Leurs églises, derniers refuges lors des combats de la guerre de Cent Ans, puis des guerres de Religion, ont souvent connu la ruine, tandis que les villages eux-mêmes étaient dévastés. Le puissant clocher de Marsilly, qui abrite désormais un étonnant musée des graffitis, et l'église fortifiée d'Esnandes à la silhouette cubique, nous rappellent combien furent difficiles les heures sombres de ces conflits incessants où il valait mieux être citadin barricadé derrière ses remparts que simple villageois soumis aux attaques, aux pillages et aux coups de main des bandes armées.

Les eaux calmes de la Sèvre, aux environs de Marans et de Taugon.

Aujourd'hui, c'est la quiétude qui règne sur ces paysages de marais domestiqués entre la côte et le canal de Marans à La Rochelle. Ce calme n'est que relatif, tant est fébrile l'activité des petits ports conchylicoles de l'anse de l'Aiguillon. Avec Esnandes, où l'on peut visiter la Maison de la mytiliculture, Charron est à l'élevage des moules ce que Marennes est à l'huître. Le petit port accroché à une ancienne île de l'embouchure de la Sèvre Niortaise, frontière du département, est entièrement voué à la mytiliculture. Une flottille de bateaux à fond plat glisse sur les eaux mêlées pour exploiter de vastes alignements de bouchots.

LE TRAVAIL DES MYTILICULTEURS
À CHARRON

Les bouchots, ces pieux de bois plantés dans les zones sablo-vaseuses et sur lesquels sont élevées les moules, sont utilisés depuis le 18e siècle. On distingue les bouchots de captage, entre lesquels sont tendues des cordes pour fixer les naissains et les bouchots d'élevage, autour desquels les jeunes moules sont entortillées à l'intérieur de sacs en forme de boudins. Vient enfin la récolte, après une année de croissance. Ces véritables « champs de moules » requièrent un soin constant, et les mytiliculteurs, comme les ostréiculteurs, sont de véritables paysans de la mer. Près de 10 000 tonnes de production annuelle font de l'anse de l'Aiguillon le principal site mytilicole de France.

Le nord de l'Aunis appartient déjà au vaste territoire que l'on identifie sous le nom générique de Marais Poitevin, dont les trois départements limitrophes – Charente-Maritime, Vendée et Deux-Sèvres – se partagent l'étendue. Le marais est un monde en soi, un univers riche et singulier, issu de la patiente domestication des éléments, de l'assèchement et de la canalisation de ces étendues d'eau par les moines des grandes abbayes au Moyen Âge, d'abord, mais aussi, et cela est moins connu, par les ingénieurs du 19e siècle.

Les multiples canaux qui fendent la plaine sont souvent leur œuvre. Le creusement de celui – à vocation économique – qui relie La Rochelle à Marans a été entrepris en 1806 mais une fois qu'il fut achevé, vers la fin du siècle, le chemin de fer avait supplanté le transport par péniche.

MARAIS POITEVIN

L'anse de l'Aiguillon et l'embouchure de la Sèvre Niortaise formaient autrefois un ensemble marécageux d'où n'émergeaient que quelques îles. L'aménagement progressif de ce territoire fut entrepris à partir du 10e siècle par les grandes abbayes poitevines (Maillezais, l'Absie, Saint-Michel-en-l'Herm, Saint-Maixent, Nieul-sur-l'Autize). La poldérisation des zones marécageuses fut obtenue par la création de digues ou levées et leur mise en culture permit un enrichissement conséquent de tout ce territoire. La zone périphérique de ce « marais desséché » demeure toutefois inondable, pour permettre l'épandage des eaux de pluie en hiver. Cette vaste étendue intermédiaire, appelée « marais mouillé », est celle qui fait la réputation touristique du Marais Poitevin. Son drainage par une multitude de canaux et son aménagement bocager sont relativement récents, puisqu'ils ont été réalisés pour l'essentiel sous le Second Empire. Le Marais, milieu extrêmement fragile, riche d'une flore et d'une faune spécifiques, est mis en danger aujourd'hui par un assèchement de plus en plus efficace et irréversible et par le développement de cultures extensives gourmandes en eau. Le Parc Naturel Régional du Marais Poitevin, créé en 1979, à pour mission de protéger ce milieu exceptionnel.

Marans est un port dont la situation au fond de l'anse, a favorisé la prospérité. C'était le principal port commercial du Marais Poitevin, les bateaux de mer pouvant y accéder par un chenal et les gabarres desservant Niort par la Sèvre. C'est encore une cité active, où les chantiers de construction navale Durand œuvrent à la construction et à la réparation de bateaux traditionnels en bois. L'église des 12e et 13e siècle, ruinée, est située à l'écart du centre, remplacée aujourd'hui par un édifice moderne doté d'un curieux clocher à flèche métallique.

AUTOUR DE COURÇON,
ENTRE MARAIS, PLAINE
ET FORÊT

L'intérieur des terres marque l'amorce de la grande plaine du Poitou, qui s'étend vers Niort et Poitiers autour de l'ancien Golfe des Pictons comblé par le marais. L'agriculture s'y fait intensive, en bordure du petit massif forestier de Benon. Courçon est le principal bourg dans cet extrême nord du département. Voué à l'agriculture, c'est aussi une des portes d'entrée du Marais Poitevin. Sa curieuse église dotée de créneaux, tellement restaurée qu'elle en est devenue néo-médiévale, évoque les sanctuaires fortifiés si nombreux en Aunis. L'eau n'est jamais loin, ni cette atmosphère si particulière du marais, de ses canaux, des petits embarcadères et des barques qui glissent sur des eaux vertes.

La vaste forêt de Benon couvrait jadis tout le nord du département. Elle était le domaine de prédilection des charbonniers, qui produisaient du charbon de bois à partir des chênes, qui poussaient en abondance. Il ne subsiste aujourd'hui que quelques résidus effilochés de cette grande forêt. C'est dans cette région boisée, en bordure de marais, que s'établit au 12e siècle l'abbaye de la Grâce-Dieu. Avec l'abbaye des Châteliers, elle incarna pendant des siècles l'esprit cistercien en terre d'Aunis. On peut encore en admirer les bâtiments classiques reconstruits au 17e siècle après bien des vicissitudes.

À Benon, la tour des Six-Sots est un curieux beffroi construit au début du 20e siècle par la commune à la suite d'un conflit avec la châtelaine. Une querelle de clocher, en somme.

L'église de Courçon,
aux allures de forteresse d'opérette.

Surgères, au cœur du château : le portail hérité de la Renaissance et l'imposante façade romane de l'église Notre-Dame, avec ses sept travées au rez-de-chaussée, un cas unique dans la région.

SURGÈRES,
VERROU DE L'AUNIS

Au sud de cette zone et à l'est de l'Aunis, Surgères n'est pas seulement un haut-lieu de la production laitière.

C'est aussi une ancienne place forte, siège d'une seigneurie médiévale qui contrôlait l'accès à La Rochelle depuis la plaine du Poitou. Son château est encore bien présent dans le paysage urbain, puisqu'il forme une entité à part, nettement distincte de la ville qui s'est développée à sa proximité. Cette distinction est due à la préservation de la vaste enceinte castrale de forme circulaire, très remaniée à la fin du Moyen Âge.

Comme un joyau au cœur de son écrin, l'église Notre-Dame, établie à l'intérieur de l'enceinte du château, est un des édifices romans les plus vastes de la région. Sa large façade déroule un ample jeu d'arcatures dans lesquelles s'insèrent des figures de cavaliers en haut-relief et une multitude de chapiteaux et de modillons sculptés. Comme Aulnay, Surgères est un édifice de synthèse entre l'art du Poitou, très influent en Aunis, et celui, riche en décor, de la Saintonge. Non loin du sanctuaire, l'accès à la mairie, vestige du logis seigneurial, est assuré par une porte isolée en forme d'arc triomphal et ornée de bucranes, ultime témoin des fastes de la Renaissance. Elle permet d'évoquer le souvenir d'Hélène de Surgères, demoiselle d'honneur de Catherine de Médicis, née au château en 1546, et qui fut la muse de Ronsard.

L'ancien marché couvert de Surgères, dont la structure
métallique de la fin du 19e siècle a été réhabillitée.

À l'entrée orientale de la ville, cette ancienne porte
romane appartient aux vestiges de l'aumônerie
Saint-Gilles, qui accueillait pèlerins et voyageurs.

Si le château focalise l'attention, le bourg mérite toutefois une halte, aux alentours des halles métalliques du 14e siècle, judicieusement rénovées, au sein d'un quartier commerçant très dynamique.

Aux alentours de Surgères, il faut signaler deux églises qui conservent encore des peintures murales médiévales, ce qui est relativement rare dans le département.

À Breuil-la-Réorte, c'est un ensemble de scènes de la vie et de la Passion du Christ, daté du 14e siècle, qui orne le sanctuaire d'une petite église gothique très amoindrie. Malgré des lacunes, ces peintures constituent un sommet de l'art gothique dans le département. La *Crucifixion*, notamment, est une œuvre d'une rare expressivité et d'une grande élégance.

À Saint-Mard, on conserve des peintures déposées, datées du 12e siècle, et qui proviennent de l'abbaye de Charentenay.

Au sud de Surgères, l'église de Landrais, emmitoufflée dans son bouquet d'arbres, et le village de Saint-Germain-de-Marençenne, où l'eau est encore très présente.

DE CHÂTELAILLON
A AIGREFEUILLE

Au-delà d'Aytré et ses usines Alsthom, et d'Angoulins-sur-Mer dont l'église fortifiée a été reconstruite après la guerre de Cent Ans, Châtelaillon-Plage offre une halte où le loisir est roi.

*Bordant la grande plage de sable soigneusement
entretenue où s'entassent les Rochelais aux beaux
jours, le casino de Châtelaillon est un pur pastiche,
réédifié en 1993, après la démolition de l'ancien
casino, qui avait un siècle.*

Mais cette commune aurait peut-être pu jouer un rôle historique bien plus important que celui de station balnéaire cossue, avec plage de sable fin et casino, qui lui est conféré aujourd'hui pour le plus grand plaisir des estivants. Les seigneurs du lieu, dont le château se dressait jadis au sud de la ville actuelle, avaient pour ambition de s'émanciper du pouvoir des ducs d'Aquitaine, leurs suzerains. Mais lorsque la confrontation eut lieu au début du 12e siècle, leur puissance fut balayée par les Poitevins, qui s'empressèrent de donner l'avantage à la petite bourgade de La Rochelle, promise ainsi au destin que l'on sait. La vieille forteresse abandonnée s'est abîmée dans les flots sous l'effet de l'érosion. Seul un cimetière mérovingien rappelle l'ancienneté de l'occupation de ce site stratégique.

Sur la commune de La Jarne, le château de Buzay est le plus bel exemple de ces grandes « folies » que se faisaient édifier aristocrates et riches armateurs aux alentours de La Rochelle au 18e siècle. Ouvert à la visite, il abrite derrière son élégante façade classique des années 1770 des pièces aux meubles d'époque. L'architecte Ducret a conçu cette demeure pour Pierre-Étienne Harouard du Beignon, avocat et lieutenant général de l'amirauté, qui était le type même du bourgeois enrichi grâce à l'esclavage des noirs dans sa propriété sucrière de Saint-Domingue.

Les églises d'Aunis sont toutes marquées par les violences qui ont touché la région au cours des guerres anglaises et des guerres de Religions. Le clocher-porche de Marsilly, qui n'a jamais reçu sa flèche, devait s'articuler à une nef dotée d'un chemin de ronde. Le chevet d'Angoulin-sur-Mer conserve quant à lui les consoles des mâchicoulis et les échauguettes de son système de fortification.

Plus loin, la réserve naturelle de la baie d'Yves, paradis des oiseaux, fait suite au site conchylicole de la pointe des Boucholeurs.

Vers l'intérieur des terres, la plaine méridionale de l'Aunis s'étend à perte de vue, bordée par les marais de Rochefort et mouchetée d'une multitude de villages agricoles qui gravitent autour du pôle urbain rochelais.

Dernier florilège aunisien: une vue de la côte d'Aunis ; le Cheval d'Aytré surgissant des flots, œuvre du sculpteur Christian Renonciat ; la façade de l'église de La Jarne, rare exemple d'une architecture romane conservée en Aunis et le chevet de l'église d'Esnandes, fortifiée lors de la guerre de Cent Ans.

LES VALS DE SAINTONGE

Loin de la rumeur des flots et à l'écart de la langueur des marais côtiers, nous voici à présent dans la sérénité des terres de la Saintonge intérieure, aux confins du Poitou et de l'Angoumois. Entre une enclave campagnarde et forestière arrachée à l'ancien diocèse de Poitiers et la rive droite de la Charente, le pays des Vals de Saintonge est irrigué par la Boutonne et l'Antenne, affluents verdoyants du fleuve qui unissent ces terres agricoles et viticoles. De nombreuses rivières secondaires, comme la Trézence ou la Brédoire, et des ruisseaux plus modestes, complètent ce réseau hydrographique. Tels les pèlerins de jadis en route pour Compostelle, attirés à Saint-Jean-d'Angély par la prestigieuse relique de Saint-Jean-Baptiste avant de pousser plus loin, vers Saintes et Pons, nous entrerons dans le département par le nord-est, tout comme le font aujourd'hui des millions d'automobilistes et de camionneurs en route pour Bordeaux, pour l'Espagne, ou tout simplement pour les stations littorales du département. Les routes tracent ici leur sillon dans le paysage. Qu'il s'agisse de l'ancienne voie reliant Bordeaux à Poitiers, empruntée par les armées romaines et les pèlerins du Moyen Âge et relayée désormais par la RN 137, ou de l'autoroute A 10, véritable épine dorsale du département.

AULNAY... DE SAINTONGE ?

« Bien sûr que non ! », répondra tout connaisseur de la géographie historique complexe de l'ancienne Aquitaine. Aulnay était et demeure du Poitou, mais la beauté de son église et le charme de son bourg lui ont permis d'être non seulement adoptée mais aussi revendiquée par les Saintongeais après l'intégration de l'enclave poitevine dans le nouveau département de Charente-Inférieure à la Révolution.

Aulnay fut dès l'Antiquité un lieu privilégié au bord de la route reliant Poitiers à Saintes et Bordeaux. Durant quelques décennies du 1er siècle après J.-C., les Romains y établirent le camp militaire d'Aunedonacum, et les vestiges d'un sanctuaire gallo-romain ont été découverts au sud de l'église. Siège d'une vicomté au Moyen Âge, le bourg se cristallisa autour de la résidence fortifiée des seigneurs du lieu, à l'écart de l'église et des vestiges antiques auprès desquels elle avait trouvé son origine. La tour cylindrique, unique vestige du château qui se dresse près de la mairie, rappelle ce passé féodal même si elle a connu maintes transformations depuis l'apogée des seigneurs d'Aulnay.

L'église Saint-Pierre n'est pas seulement la perle de ce canton ; elle incarne une forme de perfection qu'a pu atteindre l'art roman aux confins du Poitou et de la Saintonge au cours du 12e siècle. Elle doit son classement au titre du Patrimoine Mondial par l'UNESCO à sa beauté, bien sûr, mais aussi à sa proximité avec la *via turonensis*, le plus occidental des Grands Chemins de Saint-Jacques-de-Compostelle. Bien que sa vocation d'église « de pèlerinage » ne soit pas démontrée, elle constitue une étape artistique majeure à la frontière des deux anciens diocèses. Son plan est en croix latine avec une nef à trois vaisseaux et l'harmonieuse perfection de son

Bien plus sévère que l'église Saint-Pierre, la tour appelée « le donjon » qui se dresse à l'est du bourg d'Aulnay est l'ultime vestige du château des vicomtes. Le chevet de l'église est un chef-d'œuvre d'équilibre et d'élégance, auquel s'harmonise parfaitement le clocher gothique du 13e siècle.

LE RAYONNEMENT D'AULNAY

La proximité de l'église d'Aulnay n'explique pas à elle seule la richesse des nombreux édifices romans de l'enclave poitevine et des communes saintongeaises toutes proches. Quelques édifices possèdent d'ailleurs des vestiges antérieurs à la construction d'Aulnay : à Chives et à Cherbonnières, notamment, on peut encore observer des nefs en moellons du 11e siècle. Mais il est indéniable que le chantier aulnésien a influencé très directement les constructions voisines plus modestes, soit par l'essaimage de ses artistes, soit par son rayonnement en tant que modèle. On peut donc suivre « à la trace » la diffusion des formes inventées à Aulnay. Dans certains cas, les comparaisons sont presque littérales. Il en est ainsi à Nuaillé-sur-Boutonne, dont le portail est l'œuvre d'un des sculpteurs du chevet d'Aulnay, passé maître dans l'art des drapés « bouillonnants ». C'est le cas aussi à Dampierre-sur-Boutonne et à Saint-Pierre-de-L'Isle, où l'architecture des chevets et leur décor sculpté semblent avoir été conçus par l'atelier de la nef d'Aulnay. Sur la petite église de Salles-lès-Aulnay, ce sont les modillons et chapiteaux de l'abside de la grande église qui ont manifestement suscité l'équivalent sur le petit sanctuaire rural. On peut identifier aussi des transcriptions, des interprétations teintées de naïveté, dues à des maîtres d'œuvre moins talentueux que ceux d'Aulnay. Les portails méridionaux de Saint-Mandé-sur-Brédoire et de Contré peuvent être attribués à une même équipe qui y déploie une relecture « populaire » du fameux portail sud d'Aulnay et de son bestiaire. En revanche, on ne trouve guère, dans le voisinage immédiat, de succédané du portail occidental d'Aulnay. Il faut pour cela élargir l'horizon vers Varaize, un peu plus au sud, ou vers Fenioux, et bien au-delà des Vals de Saintonge, jusqu'à Blasimon, en Gironde, en passant par Chadenac ou Corme-Écluse, pour n'en citer que quelques exemples.

architecture est à peine dénaturée par quelques mutilations tardives. Son extraordinaire décor sculpté, qui fait la part belle aux diverses variantes du bestiaire fantastique du Moyen Âge, atteint des sommets dans l'expression plastique et dans le raffinement ornemental. Il s'impose immanquablement l'idée d'un « style d'Aulnay » malgré l'incertitude qui plane sur son rôle de chantier initiateur. En fait, ce sont trois ateliers, aux styles très identifiables, qui ont œuvré ici. Chacun a apporté une contribution à un chef-d'œuvre incontesté, avant d'essaimer en assurant ainsi le rayonnement d'Aulnay sur toute la région au milieu du 12e siècle. Au chevet, une première équipe, marquée par la tradition saintongeaise, a façonné les nombreux modillons de l'abside et les voussures du célèbre portail du transept, où se déploie un fameux bestiaire, qu'inspira sans doute le *Physiologus*, une œuvre de l'Antiquité tardive décrivant les êtres réels ou surnaturels qui étaient censés peupler le monde. Ces mêmes sculpteurs ont réalisé les chapiteaux du transept, où se côtoient Caïn et Abel, Samson et Dalila au milieu des musiciens, des lions et même des éléphants. Dans la nef, un autre atelier a produit une impressionnante série de chapiteaux au décor systématiquement construit à partir des arêtes vives dégagées des blocs. Ici, les masques aux yeux exorbités se mêlent aux dragons et acrobates dans un cadre végétal aux feuilles dentelées. Les parties hautes du transept, au-dessus du portail sud, sont également l'œuvre de ces compagnons à la forte personnalité. Les *Vertus combattantes*, avec leur casque à nasal s'y inscrivent comme des pliages sur les angles vifs d'une voussure. C'est cette même équipe qui a mis au point le motif promis à un vif succès des chapiteaux en forme de masques démoniaques, dont certains semblent « engouler » la colonne qu'ils couronnent. Vient enfin l'apothéose, dans les voussures du portail occidental, rescapé des destructions qui ont affecté l'étage de la façade. C'est un troisième atelier, au sommet de son art, tout en raffinement et en élégance, qui a su délicatement détacher de leur fond les figures de *Vertus combattant les Vices*, des *Vierges Folles* et des *Vierges Sages*, ou encore du *Zodiaque*, trois éléments constitutifs d'un programme moralisateur d'exhortation des chrétiens au respect des lois de l'Église. Le rappel du martyre de saint Pierre et de la transmission de la Loi à Pierre et Paul par le Christ viennent compléter ce programme à travers des bas-reliefs s'inscrivant sur les tympans des arcs brisés aveugles qui encadrent le portail.

CHÂTEAUX
EN VALS DE SAINTONGE

Presque toutes les étapes chronologiques sont représentées dans la riche variété de châteaux et de logis nobles que recèlent les Vals de Saintonge. Presque toutes, car il manque celle du château féodal roman, illustré plus au sud, par la tour de Broue et le donjon de Pons. En revanche, la phase de l'architecture militaire de la guerre de Cent Ans et l'influence des modèles royaux se manifestent clairement dans la tour maîtresse faisant office de châtelet d'entrée du château de Villeneuve-la-Comtesse, qui n'est pas sans évoquer le donjon de Vincennes. À la fin du Moyen Âge, les préoccupations militaires passaient au second rang, comme le montre le château de Neuvicq où le logis à haute toiture percé de lucarnes, bien qu'encore flanqué de tours, prend le pas sur l'aspect défensif. Ce trait se retrouve sur de nombreuses demeures nobles du 15e siècle, dans toute la Saintonge, de Rioux à Meux et de Crazannes à Beaulon. Le château de Dampierre-sur-Boutonne participe encore de ce schéma, mais en y introduisant des galeries et un décor cher à la première Renaissance. Les guerres d'Italie sont passées par là. Après les guerres de Religions, les références militaires refont leur apparition sur des châteaux tels que celui de Mornay, à Saint-Pierre-de-l'Isle, où les tours médiévales à mâchicoulis sont évoquées par des pavillons. Le même phénomène est perceptible au château de Matha. Le 18e siècle et son élégance teintée de décor rococo se manifestent au château de Beaufief, édifié à Mazeray.

AUTOUR D'AULNAY ET DE LOULAY

Si Aulnay ne manque pas de charme, les villages alentours, groupés le long de la vallée de la Boutonne et de la Brédoire ou s'éparpillant dans les paysages doucement vallonnés en direction de Matha ou de Loulay, méritent tous un détour hors des sentiers battus. De Nuaillé-sur-Boutonne à Néré, de Contré à Saint-Martin-de-Juillers, de Chives et Vinax à Lozay, il se trouvera toujours quelques motifs de faire une halte : ici un lavoir, là une église romane, plus loin un ancien moulin, une ferme ou un pigeonnier.

Dampierre-sur-Boutonne abrite un des châteaux les plus remarquables de la région, récemment frappé par un incendie qui a heureusement épargné sa superbe galerie ornée de caissons sculptés aux motifs ésotériques. En attendant que le monument soit entièrement restauré, il est toujours possible de visiter le jardin où les propriétaires ont fait réaliser un labyrinthe en buis. L'église, perchée les hauteurs du bourg, a bénéficié comme bien d'autres du rayonnement de l'art d'Aulnay.

Plus prosaïque, à côté des subtilités alchimiques du château et de la spiritualité romane, mais tellement attractive pour les petits et les grands, l'Asinerie de Dampierre accueille le public autour de l'animal fétiche dont elle assure la pérennité : le fameux baudet du Poitou.

L'ASINERIE
DES BAUDETS DU POITOU

L'asinerie du Baudet du Poitou est installée à la ferme de la Taillauderie, à Dampierre-sur-Boutonne, non loin de la commune de Blanzay qui fut un des berceaux de l'élevage de ce curieux âne à poils longs. Celui-ci était destiné à s'accoupler avec la jument de trait poitevine pour engendrer la Mule Poitevine, un animal de trait particulièrement robuste. Avec la mécanisation agricole, ces espèces ont failli disparaître. L'Asinerie est donc un conservatoire des races mulassières et plus particulièrement de cet animal ô combien attachant, véritable emblème du patrimoine vivant de la région. C'est aussi un lieu d'animation qui accueille le public presque toute l'année en proposant des visites, des animations et des promenades en attelage.

À Saint-Pierre-de-l'Isle, les bras de la Boutonne abritent le château de Mornay, curieuse maison forte des environs de 1600 dont les pavillons ressemblent à des tours de défense. L'église du village comporte à l'intérieur de très élégantes sculptures romanes tardives ornant des consoles en pierre. Un chevalier affrontant un dragon voisine avec des manants qui se battent à coups de bâtons. Avant de rejoindre Saint-Jean-d'Angély, ceux qui veulent revivre l'ambiance des classes de nos grands-parents, trouveront au Musée départemental de l'École Publique de Vergné odeur d'encre, poêle à bois et tableau noir.

Même si toutes les églises des Vals de Saintonge ne sont pas romanes, comme l'indique le clocher néo-gothique de la chapelle Sainte-Radegonde de Courant, l'aire d'autoroute de Lozay propose un « Jardin d'art roman » où des moulages de sculptures côtoient des pans d'architecture romane saintongeaise reconstitués.

L'entreprise Malvaux, installée à Loulay, est spécialisée dans la production de « feuilles » de bois déroulé qui sont ensuite transformées en contreplaqué. C'est une des principales industries d'un secteur essentiellement voué à l'agro-alimentaire.

Entre Saintonge et Poitou, de Saint-Martial-de-Coivert à Vinax, le paysage est ponctué de petites églises rurales nichées entre bois et cultures et de jardins bordant le cours de la Boutonne ou de ses affluents.

L'ESTURGEON ET LE CAVIAR

La pêche à l'esturgeon était pratiquée depuis longtemps dans l'estuaire de la Gironde, lorsque l'on décida, à partir de la fin du 19e siècle, de ne pas se contenter d'en apprécier la chair, mais aussi d'en exploiter les œufs. Le caviar de Gironde, produit surtout à Saint-Seurin-d'Uzet, devint ainsi un produit de luxe capable de concurrencer ceux de Russie et de la Mer Noire. Mais l'exploitation fut si intensive qu'en 1981, on dut interdire la pêche à l'esturgeon, ce qui mit un coup d'arrêt à la production du caviar. Aujourd'hui, l'esturgeon de Gironde est un poisson d'élevage.

SAINT-JEAN-D'ANGÉLY

L'ancienne villa antique d'Angeriacum, implantée au bord de la Boutonne, connut une destinée historique hors du commun grâce à la fondation sur son site d'une abbaye, probablement dès l'époque carolingienne, et à la présence, réelle ou légendaire,

d'une relique parmi les plus prestigieuses de la chrétienté : le Chef de saint Jean-Baptiste. Ce formidable moteur permit à l'abbaye bénédictine, réformée par Cluny, de connaître un essor sans pareil dans la région au cours du 11e siècle, tandis que se développait le pèlerinage vers Compostelle. Au 12e siècle, l'abbaye de Saint-Jean-d'Angély détenait plus de soixante-dix dépendances directes dans la région.

Dans les rues du cœur historique de Saint-Jean-d'Angély, non loin de l'abbaye, la Tour de l'Horloge, coiffée de ses mâchicoulis médiévaux, donne accès à la place du Pilori, où se dresse la fontaine du 16e siècle provenant d'un château de la région.

Le bourg né du monastère connut lui aussi une forte croissance, au point de devenir une des principales cités de la Saintonge, siège de Sénéchaussée durant la guerre de Cent Ans, et d'être dotée d'une enceinte fortifiée. Mais cette situation lui valut aussi des déboires durant les conflits, et la ville comme l'abbaye eurent à souffrir de terribles exactions. Des guerres anglaises du Moyen Âge aux guerres de Religion du 16e siècle, la puissante abbaye fut ruinée, et l'enceinte urbaine rasée par

L'ancien réfectoire des moines, du 17e siècle, a conservé ses peintures murales que peuvent admirer désormais les usagers de la médiathèque.

L'ABBAYE ET LE CENTRE DE CULTURE EUROPÉENNE

Saint-Jean-d'Angély était au Moyen Âge une étape majeure sur le chemin de Compostelle, un des premiers itinéraires européens. C'est en puisant dans ce passé fécond que le Centre de Culture Européenne s'est installé il y a une quinzaine d'années dans l'ancienne abbaye royale de Saint-Jean-d'Angély. Sous la houlette de son directeur, Alain Ohnenwald, ce centre réunit régulièrement des classes de différents pays européens dans le cadre de sessions thématiques. Au cours de leur séjour, les lycéens partagent des réflexions et participent à un programme riche qui comprend des conférences et des cours, des débats, des ateliers de pratique artistique et une découverte de la région. D'une certaine manière, c'est l'Europe de demain qui se façonne au cœur de la Saintonge, par le biais de la culture.

Louis XIII pour punir les Angériens de leur révolte lors du siège de La Rochelle en 1628. Il fallut attendre les Mauristes pour que les bâtiments monastiques retrouvent leur lustre, dans un style classique, tandis que les projets de reconstruction de l'église échouaient irrémédiablement. Seule la façade occidentale d'un sanctuaire projeté en 1751 fut réalisée, mais la nef monumentale qui devait la poursuivre ne devait jamais construite. Malgré son inachèvement, pourtant, ce vestige représente un véritable signal dans le paysage, repéré de loin et reconnu sous le non des « tours » de Saint-Jean-d'Angély. L'abbaye, qui abrita longtemps un collège, accueille désormais

la médiathèque municipale, ainsi qu'un Centre de Culture Européenne qui organise des séjours pédagogiques de classes venues de toute l'Europe.

D'autres témoins de son passé prestigieux parsèment dans chaque quartier – appelés ici des cantons – le dédale des rues et des placettes du centre de la cité angérienne. Du Moyen Âge, nous sont parvenues la monumentale tour de l'Horloge et la façade gothique de l'ancien Échevinage, sans oublier, bien entendu, les vestiges du chevet de l'église abbatiale édifiée au 13e siècle, et qui fut sans doute le plus important édifice gothique de Saintonge.

Plusieurs maisons à pans de bois accentuent le caractère pittoresque des rues de la ville. La place du Pilori est encore occupée par un puits coiffé d'un dôme a écaillé, une œuvre de la Renaissance, qui provient d'un château de la région. Moins connues sont les curieuses constructions souterraines, qui vont de la simple carrière antique ou médiévale jusqu'à de véritables sanctuaires voûtés d'ogives. Peut-être ce patrimoine souterrain, encore inaccessible, sera-t-il un jour mis en valeur. En attendant, la ville regorge de motifs de promenades dans ses ruelles calmes et ensoleillées. Saint-Jean-d'Angély partage avec La Rochelle le privilège de conserver, à côté des hôtels particuliers, comme le bel Hôtel d'Hausen, et des demeures bourgeoises, un ensemble rare de maisons à pans de bois qui contribuent à son charme.

Toutes générations confondues, il y a foule au marché, sous la halle de Saint-Jean-d'Angély.

Une échappée vers la grande place de l'Hôtel de Ville, en passant par le marché couvert, nous plonge dans le 19e siècle. La statue du comte Michel Régnaud, député monarchiste de Saint-Jean à la Révolution, rallié à Bonaparte et inspirateur du Code Civil, trône au centre de la grande place. Il est encadré par un ensemble de monuments imposants, qui ont remplacé les constructions médiévales : l'Hôtel de Ville de style néo-Renaissance, le Palais de Justice et la salle municipale, dont les façades ont intégré les arcades du 16e provenant du cloître de l'abbaye.

Bien qu'accrochée à son terroir saintongeais, la cité angérienne nous ouvre une porte sur l'évasion et les voyages lointains. Le Musée des Cordeliers, récemment aménagé, qui abrite de riches collections africaines agencées autour du « Croissant d'Argent », le véhicule auto-chenille Citroën légué par Louis Audouin-Dubreuil, originaire de Saint-Jean, qui a participé à la première traversée du Sahara en 1922 et à la fameuse Croisière Noire en 1924.

La Boutonne est une rivière fortement aménagée, où les promenades en bateau sont un plaisir à la portée de tous.

Aux environs de Saint-Jean-d'Angély, les esca-pades peuvent vous mener vers le sud, à Mazeray, où le château de Beaufief vous offrira ses belles boiseries du 18e siècle. En poussant plus loin vers Saint-Hilaire-de-Villefranche, vous rencontrerez le château de Laléart, un logis forti-fié d'allure plus austère.

L'ancien chemin de Saint-Jean-d'Angély à Taillebourg traversait les paysages vallonnés et boisés qui caractérisent le nord de Saintes. Là se niche au creux d'un vallon un des sites les plus pit-toresques de la Saintonge, à Fenioux, une com-mune dont le centre se réduit à l'église, la mairie et deux ou trois maisons. Le sanctuaire est construit sur un axe nord-sud, ce qui est exceptionnel au Moyen Âge mais que l'on explique par la topogra-phie du lieu. Près de l'église la fameuse lanterne des morts, constituée d'un faisceau de colonnes que coiffe une pyramide à écailles, veille sur un cimetière disparu. L'église est à elle seule un résumé de l'histoire de l'architecture et du décor romans dans l'ancien diocèse de Saintes. Ses exceptionnelles fenêtres archaïques à claustra de pierre ornés de motifs de vannerie et son portail monumental aux voussures inspirées de celles d'Aulnay représentent ses atouts majeurs.

Que ce soit dans la chapelle ou dans les salons, les murs du château de Beaufief sont rehaussés de stucs et de décors peints dont le raffinement est teinté d'une certaine naïveté.

Fenioux, sa lanterne des morts et son église romane: un joyau dans un écrin de verdure.

Au nord, que l'on suive le cours de la Boutonne ou la route de Niort, les paysages ont toujours la même douceur, à l'approche de l'ancienne forêt d'Essouvert, aujourd'hui réduite à quelques bosquets.

À Saint-Denis-du-Pin, on sera surpris de trouver un clocher roman unique en son genre en Saintonge, et probablement un des plus anciens encore conservés. Sa finesse et sa hauteur – on songe à quelque campanile de Catalogne ou d'Italie – l'on fait surnommer à juste titre « l'aiguille du Pin ».

ARCHITECTURE RURALE
NORD DÉPARTEMENT

Les villages de la Saintonge septentrionale et de l'enclave poitevine offrent une belle homogénéité. Le substrat géologique en calcaire jurassique de cette partie du bassin de la Charente permet l'extraction de moellons très réguliers, obtenus à partir de bancs de pierre qui se délitent naturellement en plaques. Il en résulte des parements d'une belle texture, avec des assises très régulières, qui ne nécessitent pas d'être enduites. De nombreux bâtiments – maisons de journaliers, corps de fermes, bâtiments agricoles, chais – et murs de clôture ont été construits dans ce matériau jusqu'au début du 20e siècle. Certains, à Saint-Mandé-sur-Brédoire, ou à Siecq, par exemple, comportent des traces d'ouvertures ou des décors gothiques de la fin du Moyen Âge.

LE PAYS DES VIGNES, AUTOUR DE MATHA

Le vignoble hérité de la plus haute antiquité qui s'étend au nord de Cognac, dans ce que l'on appelle le « Pays bas », s'est élargi au cours du Moyen Âge en gagnant sur les zones boisées qui furent défrichées dès les 10e et 11e siècles. Matha se trouve au cœur de cette région limitrophe du département de la Charente, à la rencontre des zones d'appellation de Fins Bois et de Borderies. Mais cette terre viticole a également su se diversifier. Depuis quelques décennies, la production de melons est devenue une spécialité de ce secteur, et la Charente-Maritime est aujourd'hui une des principales régions productrices de melon en France.

Le pavillon du 17e siècle aux faux airs de tour de défense, unique vestige du château de Matha.

L'agglomération de Matha, qui abrite une importante distillerie familiale fondée en 1898, la maison Brugerolles, s'organise autour de plusieurs pôles historiques : les églises de Saint-Hérie et de Marestay,

ancienne dépendances de l'abbaye de Saint-Jean d'Angély, et ce qui subsiste du château, héritier de la forteresse jadis contrôlée par les comtes d'Angoulême, puis par les seigneurs de Bourdeilles. Les deux sanctuaires, malgré les mutilations subies au cours des siècles, n'en demeurent pas moins intéressants, pour la qualité de leur sculpture, une fois de plus, mais aussi, pour ce qui est de Saint-Hérie, pour la beauté d'un exceptionnel chevet gothique à pans coupés, qui a reçu un magnifique ensemble de vitraux contemporains, signés Jacques Lardeur. Du château ne nous est parvenu qu'un pavillon du 17e siècle, encore surmonté de mâchicoulis, mais doté d'une toiture haute et orné de baies à frontons déjà classiques.

Dans la région de Matha, les villages agricoles et viticoles groupés autour de leur église composent une plaisante mosaïque au milieu des rangs de vignes.

De Varaize à Fontenet, de Gourvillette à Brie-sous-Matha, de Bagnizeau à Haimps, les sanctuaires romans, dont beaucoup sont influencés directement par l'art d'Aulnay,

Un chapiteau roman de l'église de Fontenet, directement inspiré d'Aulnay, montre une curieuse figure brandissant deux hosties.

Un lavoir à Bagnizeau. Bien dautres éléments du petit patrimoine rural ont ainsi été restaurés ou sont simplement entretenus avec soin.

sont encore une fois majoritaires. Quelques édifices se distinguent toutefois par leur ancienneté ou par la singularité de leur décor. C'est le cas de l'église de Cressé, probablement bâtie au 11e siècle, ou encore de celle de Macqueville, dont le portail nord et les modillons ne manquent pas de saveur. D'autres villages ont vu leurs églises reconstruites ou remaniées avec bonheur au début de l'époque gothique, et l'on ne saurait les oublier ; Néré et Beauvais-sur-Matha sont de celles-là. Enfin, les églises d'Écoyeux et d'Authon ont connu, comme celles du littoral, une phase de fortification qui leur donne une silhouette des plus originales.

Le château d'Authon, à l'image de beaucoup de demeures nobles saintongeaises, a connu une succession quasi ininterrompue de remaniements du 15e au 20e siècle. Ses anciennes douves sont alimentées par le Dandelot, un affluent de l'Antenne.

La silhouette massive du clocher de l'église d'Écoyeux – encore un édifice fortifié – se dresse au dessus des champs de tournesol.

Partout dans la région, comme ici à Ecoyeux, l'atmosphère feutrée des chais est gorgée des effluves suaves des eaux-de-vie. Celles-ci reposent dans les fûts de chêne, attendant patiemment la visite du maître de chai qui décidera de leur sort.

BIÈRE DE BERCLOUX

Parmi les multiples péripéties produites par les crises qui secouent régulièrement le terroir du cognac, l'expérience de cette brasserie familiale de Bercloux se pose comme une des réussites les plus singulières. Au lieu de se lancer, comme d'autres, dans un élargissement de la production viticole, ces anciens distillateurs ont simplement changé de matière première en recyclant leurs alambics pour s'orienter vers une production pour le moins atypique dans cette région viticole. La Bercloise est donc une bière rare, brassée en plein cœur d'un des vignobles les plus réputés au monde. Il fallait oser…

Au village de Chez Audebert, sur la commune de Nantillé, un étonnant jardin de sculptures rassemble les œuvres naïves d'un « Facteur Cheval » saintongeais, Gabriel Albert. Ce menuisier à la retraite a occupé les dernière années de sa vie à la réalisation d'une véritable armée de statues en ciment teintées dans la masse.

Posée en équilibre sur ses étran-
ges béquilles, la « pile » d'Ébéon
est une construction gallo-
romaine en maçonnerie pleine,
coiffée d'un dôme à écailles.
Comme celle de Pirelonge, à
Saint-Romain-de-Benêt,
sa fonction demeure énigmatique.
Fanal ? Monument funéraire
ou commémoratif ?
La question reste ouverte.

LES CAGOUILLES CHARENTAISES

L'escargot, que l'on appelle la cagouille, est l'emblème des pays charentais. Ce gastéropode nonchalant n'est pas seulement une figure symbolique de l'art de prendre son temps à la façon du pays. Il est aussi un met fort apprécié, et à ce titre il partage avec la « mohette » – le haricot blanc – et les fruits de mer les premières places dans la gastronomie saintongeaise. L'élevage de M. Rousseau, à Mons, n'a donc rien d'exotique, pas plus que la production de caviar d'escargot de M. Feugnet, à Saint-Bonnet-sur-Gironde.

LA RIVE DROITE
DE LA CHARENTE

Taillebourg. Voilà un nom qui résonne dans la mémoire des écoliers (d'antan !). La célèbre bataille qui opposa en 1243 le roi de France, Saint-Louis, à son adversaire anglais Henri III fait partie des références jadis enseignées dans l'Histoire de France. C'était le temps d'avant les défaites de la chevalerie française accumulées durant la guerre de Cent Ans. En fait, Taillebourg ne fut pas l'enjeu pour les belligérants, le véritable combat se déroulant sous les murs de Saintes. Mais l'importance stratégique de cette forteresse établie sur la Charente en aval de la cité épiscopale peut être ainsi soulignée.

Probablement occupée au 9e siècle par les Normands, qui lui léguèrent son nom, Taillebourg contrôlait la basse vallée de la Charente et constituait un important point de franchissement, peut-être dès l'Antiquité. La chaussée Saint-James, sur la rive opposée, rappelle la présence d'un pont, détruit au 17e siècle, qui se prolongeait dans la zone inondable par cette section de route surélevée. Du château de Taillebourg, il ne subsiste que quelques vestiges, mais aussi une terrasse qui offre un panorama sans pareil sur le fleuve et les quais.

De Taillebourg et ses quais à Saint-Savinien, les berges de la Charente offrent de plaisantes promenades, à pied ou en bateau.

Plus loin en aval, au-delà du village de Coulonges et de son château, Saint-Savinien est une des rares cités des bords de Charente à entretenir un rapport étroit avec le fleuve, puisqu'une partie de ses maisons est construite directement sur la berge. Base de loisir importante, Saint-Savinien possède aussi, dans son méandre aménagé, une importante écluse de régulation du cours de la Charente en amont de l'embouchure. Le clocher gothique de l'église et les vestiges du château dominent harmonieusement le bourg de Saint-Savinien, qui possède par ailleurs une ancienne chapelle de l'ordre des Augustins.

6

Sur la crête du côteau de Saint-Savinien, le château et l'élégante silhouette du clocher gothique de l'église animent la ligne d'horizon.

Après avoir longé la Charente en direction de la mer, on ne manquera pas de s'en éloigner quelque peu pour un petit détour par le village de Bords, dont l'église possède toute une série de masques sculptés, inspirés de ceux d'Aulnay. Une drôle de galerie de portraits !

À Archningeay, outre l'église romane, le Musée des Trésors de Lisette propose une halte nostalgique parmi les ustensiles domestiques d'autrefois.

Sur le plan d'eau de Saint-Savinien, les promenades en mini-bateaux connaissent un franc succès.

ENTRE BOUTONNE
ET TRÉZENCE

La partie la plus occidentale du pays des Vals de Saintonge est encore marquée, dans le sud, par le paysage des marais, à l'approche de la confluence entre Boutonne et Charente. Le marais de Rochefort n'est pas loin, et Tonnay-Boutonne en est une porte d'entrée. En fait de porte, c'est un châtelet d'entrée de l'enceinte médiévale, la Porte Saint-Pierre, qui est le monument le plus ancien de la petite cité.

La pêche n'est pas la moindre des activités de loisirs proposées par les pays saintongeais.

La Porte Saint-Pierre à Tonnay-Boutonne.

Les éoliennes sont parmi nous... Le site de Saint-Crépin est un des premiers à être équipé de ces immenses girouettes en Charente-Maritime.

L'écluse de Bel-Éblat, au sud de Tonnay, témoigne des aménagements que les hommes ont réalisés pour domestiquer la nature. Le maraîchage trouve ici un terrain favorable, sur les terres de varennes, un terme qui désigne en Saintonge les sols organiques riches ou terres noires des zones humides.

Plus au nord, en remontant vers Surgères, d'anciennes îles forment des collines qui permettent de bénéficier d'un large panorama vers le littoral. Cela se vérifie à Genouillé, d'où l'on a aussi une vue imprenable sur... les éoliennes de Saint-Crépin ! L'église Saint-Pierre, dotée un beau portail polylobé, est encore fortement imprégnée de tradition romane, bien qu'elle soit un édifice du premier âge gothique. Non loin de là, dans l'église de Landes, on pourra admirer quelques belles peintures murales de la fin du Moyen Âge.

La façade occidentale et le chevet de l'église de Genouillé.

Le point culminant de la colline de Puyrolland, à laquelle se rattache une des nombreuses légendes liées à l'histoire de Charlemagne, n'est occupé que par une cha-pelle en partie ruinée qui ajoute au cadre romantique de ce lieu de promenade très prisé, véritable « montagne » aux marges de l'Aunis.

En balade sur la colline de Puyrolland ou sur les chemins des campagnes avoisinantes.

ROCHEFORTAIS ET MARAIS DE BROUAGE

Un horizon plat d'où émergent de rares éminences ou quelques silhouettes squelettiques, presque incongrues, d'ouvrages humains ; et puis la mer, les îles et les marais, à nouveau, indissociables de la Charente-Maritime, mais le fleuve aussi, celui qui irrigue et qui caractérise le territoire : le pays Rochefortais est par excellence la terre de l'embouchure, celle des flots mêlés, des échanges. Mais il est aussi un haut lieu de l'histoire géopolitique et des stratégies côtières de l'Ancien Régime. Car la ville, là encore, a créé l'identité par-delà le paysage, ou plutôt à la faveur du paysage. L'arsenal

royal de Rochefort créé par Colbert a focalisé toutes les attentions, toutes les énergies, tous les efforts d'aménagement depuis le 17e siècle, créant un gigantesque dispositif de défense, d'approvisionnement et d'exploitation de ce qui fut un des principaux complexes industriels de la puissance militaire maritime française, de Louis XIV jusqu'au 20e siècle. Aujourd'hui, tout cela pourrait n'être plus qu'un amas de forteresses obsolètes et de bâtiments en déshérence si leur réappropriation ne nourrissait pas, comme elle le fait depuis quelques décennies, l'identité touristique, culturelle et économique du pays.

ROCHEFORT-SUR-MER, ROCHEFORT SUR CHARENTE

En 1666, après quelques hésitations, ce fut dans l'embouchure de la Charente que Colbert choisit de créer de toutes pièces un des principaux arsenaux de la flotte royale dont rêvait le jeune Louis XIV pour asseoir sa puissance. Le site de Rochefort, une légère éminence portant quelques maisons et un château, était des plus propices. Protégé des vagues de l'océan par les boucles du fleuve, il était facile à défendre d'une éventuelle attaque ennemie venant de la mer grâce au chapelet d'îles qui, une fois fortifié de manière appropriée, devait créer un véritable rempart pour cet espace hautement stratégique. Comme souvent, cette situation idéale devait se révéler moins fiable que ne l'avaient imaginé les stratèges français, puisque les Anglais, qui étaient alors les principaux rivaux de la France, réussirent à plusieurs reprises à déjouer ce dispositif, et à porter des coups décisifs à la flotte française.

Depuis le début du 20e siècle, le déclin annoncé de l'activité militaire s'est progressivement accentué, pour aboutir un siècle plus tard, après une phase de réelle crise économique et identitaire, à une reprise spectaculaire due en partie à une reconquête cultu-

La culture du Bégonia, un choix emblématique pour la ville de Rochefort.

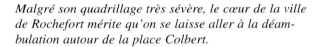

Malgré son quadrillage très sévère, le cœur de la ville de Rochefort mérite qu'on se laisse aller à la déambulation autour de la place Colbert.

relle des friches délaissées par l'armée et l'arsenal. Ici, les bagnards affectés aux tâches les plus pénibles, les ouvriers et les matelots de la Royale côtoyaient jadis les officiers et les savants, toujours prêts à s'investir dans quelques expéditions lointaines pour rapporter des merveilles, comme le bégonia. Cette fleur exotique, qui reçut le nom de l'intendant de la Marine Michel Bégon, celui-là même à qui l'on doit le règlement d'urbanisme de la ville, est un véritable emblème de la cité où les desseins militaires ont aussi favorisé une destinée aventurière hors du commun. C'est d'ici aussi, ne l'oublions pas, que sont partis les navires d'une expédition de 1816 dont faisait partie la *Méduse*. Son naufrage dramatique inspira le célèbre tableau de Géricault.

Le site de l'ancien arsenal, auquel on accédait autrefois de façon exclusive par la Porte du Soleil, véritable arc triomphal, a perdu beaucoup de ses bâtiments.

La Corderie Royale, heureusement conservée, en constitue l'élément architectural le plus singulier. Ce très long bâtiment classique coiffé de combles brisés et simplement ponctué de pavillons, a été restauré pour accueillir notamment le Centre International de la Mer.

Plus récemment, une autre aventure c'est ouverte dans une des anciennes formes de radoub, avec le chantier de reconstitution en grandeur réelle de l'*Hermione*, le bâtiment qui avait emmené La Fayette en Amérique au 18e siècle. Ce chantier vivant, qui fait renaître les savoir-faire de la construction navale de l'Ancien Régime, est un des sites les plus visités du département.

L'activité de la Corderie Royale et le chantier de l'*Hermione*, enserrés par l'écrin du Jardin des Retours, s'accordent parfaitement à la proximité du Musée de la Marine, installé dans l'ancien hôtel de Cheusses. Cette demeure, dont certaines parties sont antérieures à la création de l'arsenal, est l'héritière du château primitif. Du site médiéval nous est également parvenue, bien que fort dénaturée, l'église de la Vieille Paroisse, dont la Société de géographie a fait son musée archéologique.

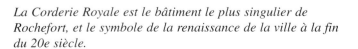

La Corderie Royale est le bâtiment le plus singulier de Rochefort, et le symbole de la renaissance de la ville à la fin du 20e siècle.

Mais Rochefort est aussi une ville, et une ville nouvelle, conçue selon un tracé orthogonal des plus rigoureux, avec des îlots au parcellaire régulier, au sein desquels les immeubles des 18e et 19e siècle développent des façades homogènes. Seuls quelques hôtels particuliers font valoir leur distinction sans ostentation outrancière. Nous sommes ici dans une ville essentiellement militaire et l'on y était moins brillant et plus austère qu'à La Rochelle. La place Colbert, bordée par la belle façade de l'Hôtel de Ville, est située au cœur du vaste échiquier urbain. Elle a connu un regain de jeunesse dans les années 1960, lorsque Jacques Demy et le swing de Michel Legrand y firent danser les *Demoiselles* Deneuve et Dorléac, qui font désormais partie à Rochefort de la mythologie locale. L'église Saint-Louis, qui est visible de la place, n'a pourtant rien d'un décor de comédie musicale, avec sa sévère façade néoclassique à fronton et colonnes.

La régularité des rues de la ville cache quelques joyaux architecturaux qui peuvent paraître anodins tant ils se fondent, par leur façade, dans la perspective générale. Ce n'est pas tout à fait le cas du théâtre de la *Coupe d'Or*, charmante salle à l'italienne, des 18e et 19e siècles, dont la façade élégante tranche sur le bâti courant. On ne saurait éviter non plus, du fait de leurs portails ornementés ou du raffinement de leurs façades, certains hôtels particuliers tels l'ancienne préfecture maritime, l'hôtel de la Touche-Tréville ou l'hôtel Mac Nemara, autant de noms qui fleurent bon les souvenirs de l'aventure navale. La discrétion est en revanche l'objectif recherché par l'architecte chargé de remanier le Musée d'art et d'histoire, qui conserve l'enveloppe de l'ancien hôtel Hèbre de Saint-Clément à l'intérieur de laquelle s'intègre une structure résolument contemporaine pour abriter les collections d'œuvres d'art, le fameux plan-relief de la ville daté du 19e siècle et le Centre d'interprétation de l'architecture et du patrimoine lié au label Ville d'art et d'histoire. Plus discrète encore, se fait la maison d'un des

Le théâtre de la Coupe d'Or et sa façade du 19e siècle sur la rue de la République.

Le portique néoclassique de l'église Saint-Louis, œuvre de Félix Garde datée de 1838.

Rochefortais les plus célèbres, Pierre Loti, l'auteur de *Pêcheurs d'Islande* ou *d'Aziyadé*, de son vrai nom Julien Viaud. La demeure où naquit l'écrivain en 1850 et où il vécut cache derrière l'anonymat d'une façade austère un intérieur féerique, où les destinations exotiques de son propriétaire ont donné lieu à des évocations luxuriantes, teintées d'éclectisme historique. Les rêveries néo-gothiques y côtoient les fastes de l'Orient, peuplés d'objets que le grand voyageur charentais n'a cessé d'accumuler au cours de sa vie de marin.

En bordure de la ville classique, un immense ensemble architectural garde encore le souvenir de l'histoire navale de Rochefort. C'est l'ancien Hôpital de la Marine, le second dans l'histoire de la ville, édifié à partir de 1783 par Touffaire. Sa composition très monumentale se développe autour d'une grande cour centrale, mais au lieu d'être conçue comme un espace fermé, celle-ci est bordée de pavillons individualisés qui annoncent l'architecture hospitalière du 19e siècle. Puisse cet ensemble remarquable trouver lui aussi une vocation culturelle et touristique à proximité de l'établissement thermal qui contribue aujourd'hui au dynamisme de la ville.

Malgré sa vocation militaire, Rochefort fut aussi et demeure un port de commerce. Qui s'attendrait à ce que cette activité des plus prosaïques suscitât une vraie poésie ? Il a pourtant suffi d'un soupçon de nostalgie et de beaucoup de passion pour que naisse le Musée des commerces d'autrefois, tout droit sorti du rêve d'un collectionneur qui a su rassembler dans un entrepôt réhabilité un incroyable ensemble de boutiques et de commerces anciens.

Épicerie, atelier de cordonnier, café... On trouve de tout au Musée des commerces d'autrefois.

Jadis méprisée, l'architecture du 19e siècle fait désormais partie du paysage architectural des villes. À Rochefort, deux monuments sont particulièrement représentatifs de courants majeurs qui ont traversé ce siècle.

La gare, œuvre du début du 20e siècle, est encore marquée par le souvenir des grands pavillons de l'Exposition Universelle de 1889, avec une composition très classique centrée sur un dôme que précède la marquise. Métal, brique et lave s'y juxtaposent en un élégant jeu de polychromie cher à l'éclectisme du siècle passé.

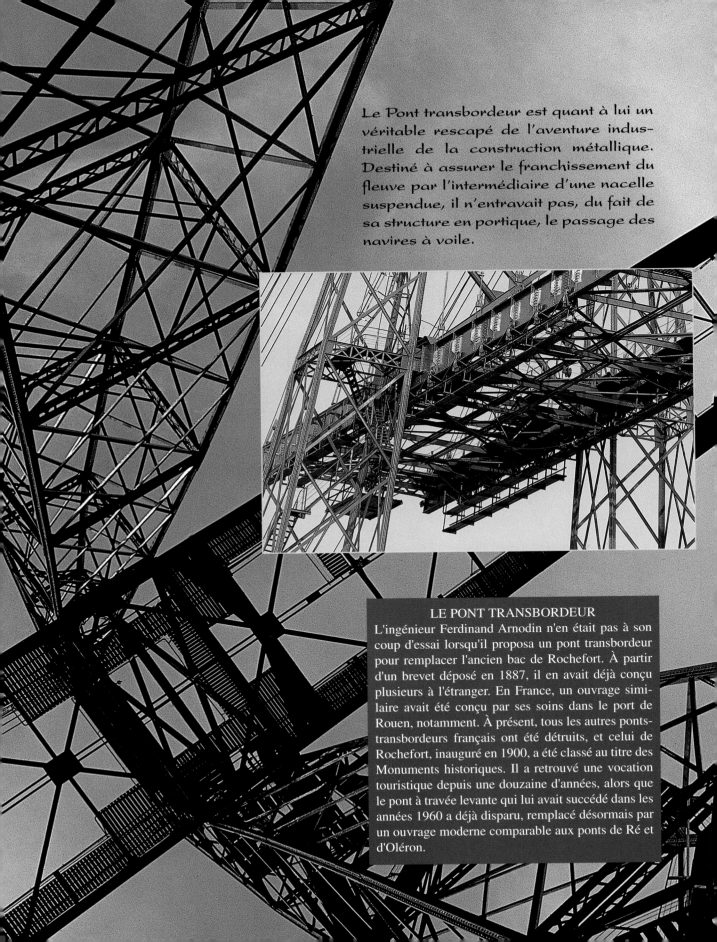

Le Pont transbordeur est quant à lui un véritable rescapé de l'aventure industrielle de la construction métallique. Destiné à assurer le franchissement du fleuve par l'intermédiaire d'une nacelle suspendue, il n'entravait pas, du fait de sa structure en portique, le passage des navires à voile.

LE PONT TRANSBORDEUR

L'ingénieur Ferdinand Arnodin n'en était pas à son coup d'essai lorsqu'il proposa un pont transbordeur pour remplacer l'ancien bac de Rochefort. À partir d'un brevet déposé en 1887, il en avait déjà conçu plusieurs à l'étranger. En France, un ouvrage similaire avait été conçu par ses soins dans le port de Rouen, notamment. À présent, tous les autres ponts-transbordeurs français ont été détruits, et celui de Rochefort, inauguré en 1900, a été classé au titre des Monuments historiques. Il a retrouvé une vocation touristique depuis une douzaine d'années, alors que le pont à travée levante qui lui avait succédé dans les années 1960 a déjà disparu, remplacé désormais par un ouvrage moderne comparable aux ponts de Ré et d'Oléron.

Sur la rive gauche de la Charente, la Prée horticole
et la station de lagunage offrent un environnement
propice à l'observation des oiseaux.

TONNAY-CHARENTE,
UN PONT PLUS LOIN...

En amont de Rochefort, sur la même rive, le site de Tonnay-Charente constituait, avant la création de l'arsenal, le véritable port maritime de l'embouchure. Son château, établi sur une éminence, comme ceux de Taillebourg et de Saint-Savinien, contrôlait le fleuve, et faisait de ses seigneurs des personnages importants. La seigneurie échut d'ailleurs à la puissante famille de Rochechouart. L'ancienne forteresse a bien changé, là aussi, puisque seule une tour accrochée au bâtiment du 17e siècle rappelle la vocation défensive de ce site et c'est désormais une agréable terrasse qui surplombe le fleuve.

Le pont de Tonnay confère à la petite cité un caractère particulier. Cet ouvrage, qui n'est pas le premier jeté sur le fleuve à cet endroit, est un des plus anciens ponts suspendus construits en France, puisqu'il fut édifié en 1842. Son tablier, suspendu à des câbles d'acier à plus de 20 m de hauteur, repose sur des piles en pierre calcaire percées d'arcs brisés. Il se prolonge par une longue culée de plus de 400 m, qui compte 51 arches également en arcs brisés. Cette hauteur avait les mêmes motifs que pour le pont transbordeur du Martrou : il s'agissait de ménager le passage des navires dotés d'une importante mâture.

Une flotille de pêche remonte le fleuve en amont du pont de Tonnay-Charente.

FOURAS ET L'ÎLE D'AIX

Au nord de Rochefort, au-delà des villages de Vergeroux et de Saint-Laurent-de-la-Prée, qui conserve une église romane du 11e siècle, la pointe de Fouras s'avance vers l'île d'Aix. Fouras est d'abord une place forte – une des plus anciennes de la région – qui commandait l'entrée de l'estuaire et le pertuis entre Aix et l'embouchure. Son château demeure un des plus spectaculaires du département. À l'origine, il s'agissait d'une forteresse de plan carré flanquée de tours sans doute édifiée par Philippe le Bel au début du 14e siècle avant d'être remaniée au 15e siècle. La tour maîtresse centrale fut renforcée par l'ingénieur Ferry en 1689 pour devenir une plate-forme d'artillerie. Le vieux château médiéval devenait une pièce essentielle dans la protection de la rade de Rochefort, où étaient armés les navires construits dans l'arsenal.

Mais Fouras est aussi une charmante station balnéaire où les villas des 19e et 20e siècles rivalisent de détails pittoresques. À l'extrémité de la pointe de la Fumée, l'ostréiculture voisine avec l'embarcadère des bateaux qui assurent la liaison avec l'île d'Aix en frôlant le fort Énet, posé au raz des flots dans le pertuis.

L'île d'Aix est un croissant de terre qui s'étire au nord de l'embouchure de la Charente. C'est aujourd'hui la seule véritable île du département à n'être reliée à la terre que par bateau. Ni pont, ni passe ne permettent de l'atteindre. Ce seul point contribue largement à son charme. L'isolement relatif de l'endroit n'a pas empêché qu'il soit exploité dès le Moyen Âge. Au 11e siècle, les moines bénédictins de Cluny vinrent s'y établir à la demande du seigneur de Châtelaillon, avant de devoir se replier sur le continent dès le début de la guerre de Cent Ans. Malgré les destructions et mutilations subies, l'église en partie ruinée fait partie des rares exemples d'une architecture romane primitive dans la région. Sa crypte est plus ancienne que celle de Saint-Eutrope de Saintes, mais de dimension plus modeste. Les bâtiments du monastère, eux aussi très amoindris, sont encore en place à côté du sanctuaire, à l'extrémité du bourg qui occupe la pointe sud de l'île. Celui-ci abrite également la dernière maison occupée par Napoléon avant son départ en exil en 1815. Le souvenir en est entretenu dans cette belle

demeure néoclassique à travers des collections d'objets et d'œuvres relatives à l'épo-
pée napoléonienne. Napoléon Gourgaud,
arrière-petit fils d'un des compagnons de
l'empereur déchu, qui fut l'initiateur de ce
musée, a également légué à la commune ses
collections d'art africain accumulées lors de
ses expéditions au début du 20e siècle. Un
second musée pour cette petite commune,
dont le baron fut maire. Seuls les esprits cha-
grins s'offusqueront de la présence d'un dro-
madaire naturalisé sur une île charentaise !

*Un voyage dans l'Histoire, de la crypte romane du
11e siècle à la chambre de l'Empereur.*

Aix est évidemment aussi une véritable place forte, défendue par plusieurs forts. Du fort de la Rade, à la pointe méridionale de l'île, jusqu'au fort Liédot, situé à l'autre extrémité, en passant par le réduit de Coudepont, ce sont surtout des ouvrages du début du 19e siècle que l'on rencontre ici. Ceux-ci ont été conçus par Napoléon pour palier à des déficiences avérées des fortifications antérieures. La prise de l'île en 1757 par les Anglais fut révélatrice de ces carences.

L'ATELIER DE LA NACRE

Comment créer une tradition ? L'île d'Aix n'était pas davantage qu'un autre lieu destinée à développer une activité très spécifique, dont la matière première est on ne peut plus exotique. Depuis une cinquantaine d'années, la famille Gallet s'est lancée dans le travail de la nacre à partir de coquillages qui n'ont rien de charentais, puisqu'ils sont importés d'Océanie. Bijoux, objets fantaisie, souvenirs sont ici habilement extraits de ces coquillages lointains pour s'exporter bien au-delà de l'île qui les voit naître.

FORTIFICATIONS DU LITTORAL

La défense des côtes saintongeaises et aunisiennes était assurée dès le Moyen Âge, soit par des forteresses telles que celle de Fouras, dont le donjon fut simplement chemisé et renforcé par Ferry au 17e siècle, soit par la fortification de certaines églises. Les villes, telles que La Rochelle, jouaient également un rôle important ; le port de Brouage, constitué en une véritable place forte, le Château-d'Oléron ou Saint-Martin-de-Ré en sont des exemples modernes. Mais dès les guerres de Religion, avec le siège de La Rochelle et les tentatives de débarquement anglais, se posait la question d'une stratégie cohérente à grande échelle. À partir de la création de l'arsenal de Rochefort, en 1666, cette problématique devenait un impératif. De nombreux ingénieurs de l'Ancien Régime, puis de la Révolution et de l'Empire, allaient s'atteler à la tâche immense de sécuriser tous les accès à cette base stratégique, tout en suivant la course incessante des progrès de l'artillerie. Les noms de d'Argencourt, de Ferry et de Vauban sont ceux qui reviennent le plus souvent au 17e siècle. La volonté de fortification des îles, la mise sous contrôle des pertuis par des batteries croisant leurs tirs, devaient entraîner la construction de nombreux ouvrages, dont fort Boyard, un des derniers à être achevés, constitue l'apothéose. Mais la plupart de ces forteresses étaient déjà obsolètes au moment de leur achèvement, et beaucoup ont surtout servi de prisons lors de crises politiques telles que la Révolution, la Commune ou la guerre d'Algérie.

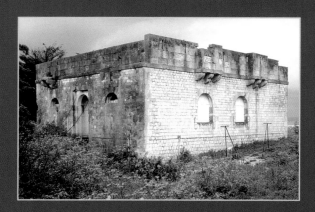

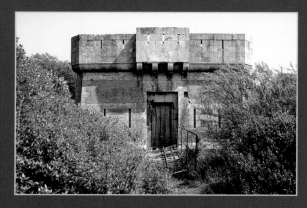

L'EMBOUCHURE
ET LA RIVE GAUCHE

En face de Rochefort et de son arsenal, c'est d'abord le marais qui s'étend le long des derniers méandres de la Charente. À l'extrémité de l'embouchure, le village de Port-des-Barques étire ses alignements de petites maisons et ses embarcations légères.

Ces barques rappellent les petits bateaux qui assuraient ravitaillement, chargement et déchargement des navires encrés au large, devant l'embouchure, pour des raisons de sécurité.

*La Fontaine de Lupin à Saint-Nazaire-sur-Charente,
édifiée en 1763 par l'ingénieur Onésime Augias.*

Fort Lupin, œuvre des ingénieurs ferry et Vauban.

Tout au bout du village, la Passe-aux-Bœufs donne accès, à marée basse, à l'île Madame, la plus petite des îles du Golfe des Santons. Le souvenir des prêtres déportés sous la Révolution hante encore ce lieu où beaucoup moururent. La Croix de galets en est le monument commémoratif. L'île servit à plusieurs reprises de lieu de détention, puisque des Communards y attendirent également leur déportation en Nouvelle-Calédonie. On trouve ici, bien entendu, un ancien fort qui participait du système de défense de l'arse-nal. Celui-ci était déjà protégé plus en amont par le fort Lupin, édifié sur la rive gauche du fleuve en 1683 d'après les plans de Ferry et Vauban pour contrôler l'accès à Rochefort. Ce fort comprend une batterie en demi-cercle munie d'échauguettes et un donjon quadrangulaire. Il tenait également sous son tir la fontaine Saint-Nazaire, ou fontaine Lupin, un réservoir alimenté par une source grâce à un exceptionnel aménagement hydraulique qui permettait le ravitaillement en eau douce des navires sortant de l'arsenal.

De Port-des-Barques à Soubise, avec la Charente comme trait d'union.

À Saint-Aignan, l'ancien prieuré de Montierneuf, dépendance de la Trinité de Vendôme, est aujourd'hui ruiné, mais son colombier, coiffé d'un dôme à lanternon, a fait l'objet d'une restauration spectaculaire.

Plus au sud, Soubise fut une position stratégique importante et le berceau d'une des branches de la célèbre famille de Rohan, issue des Larchevêque de Parthenay, qui furent seigneurs du lieu du 13e au 16e siècle. Les Rohan-Soubise eurent le titre de princes. Leur ancienne demeure noble, d'un élégant maniérisme du début du 17e siècle, abrite aujourd'hui la mairie. L'église Saint-Pierre, reconstruite au début du 18e siècle, offre une des rares façades classiques du département.

L'ancien logis de Rohan, à Soubise.

L'église Saint-Pierre de Soubise.

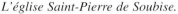

LA JONCHÉE

Un fromage frais égoutté dans une nasse d'ajoncs, telle est la jonchée, savoureuse recette saintongeaise qui associe les produits laitiers de l'élevage à la végétation caractéristique des marais et des chenaux dont le pays est si riche. M. Jacky Noble, de Saint-Nazaire-sur-charente, nous en fait la démonstration,

AUTOUR DE BROUAGE, CITADELLE DES MARAIS

Entre les embouchures de la Charente et de la Seudre, le littoral est constitué d'un vaste marais, un de ces paradis pour oiseaux comme la Charente-Maritime en abrite plusieurs. Au cœur de ce marais, la cité de Brouage gît telle un vaisseau échoué sur la grève. La forteresse de Broue, qui surveillait au Moyen Âge les marais salants des abbesses de Saintes, était devenue obsolète et trop éloignée du rivage au 16e siècle. En 1555, c'est dans les marais que Jacques de Pons créa une ville nouvelle qu'il nomma – de façon aussi immodeste qu'éphémère – Jacopolis. Elle remplissait une fonction portuaire grâce à un chenal qui la reliait à la mer et sa richesse la fit rivaliser avec La Rochelle.

La tour de Broue, une construction massive en maçonneries de moellons renforcée par des contre-forts plats. Un des plus beaux exemples de « donjon » roman de l'Ouest.

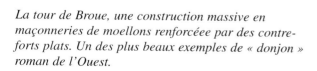

La mise en défense de la petite ville, initiée par l'architecte italien Bellamarto, devait s'étaler sur plus d'un siècle. Brouage, devint un redoutable point stratégique lors des guerres civiles qui devaient déchirer la province jusqu'à la reddition de La Rochelle en 1628. Richelieu fit de cette place forte son centre de commandement lors du fameux siège, après avoir confié la modernisation des fortifications à l'ingénieur d'Argencourt. C'est à Brouage que naquit Samuel Champlain, le fondateur de Québec. C'est à Brouage aussi que Mazarin contraignit à l'exil sa nièce Marie Mancini.

L'envasement progressif du chenal scella pourtant le sort de la place forte, malgré les travaux entrepris par Ferry et Vauban à la fin du 17e siècle. Brouage s'endormit dans l'oubli jusqu'à ce que son intérêt du point de vue du patrimoine militaire et son cadre exceptionnel ne déclenchent un processus de mise en valeur qui lui rend une seconde vie. On se plaît désormais à arpenter le chemin de ronde de son enceinte carrée hérissée d'échauguettes et complétée par des bastions, ou à visiter l'ancienne Halle aux vivres, en grande partie reconstituée lors de travaux récents.

Même si Vauban a fait démanteler tous les « dehors », c'est à dire les ouvrages avancés, Brouage reste un exemple parfait de place forte moderne, avec son enceinte de plan carré flanquée de bastions. Les fameuses échauguettes, très exposées, avaient une fonction de simple vigie, et elles pouvaient être démontées à l'approche de l'ennemi.

La façade romane de Notre-Dame d'Échillais, où grimace un fameux « engoulant ».

L'art roman n'est pas en reste autour du marais, bien que la région ait été très affectée par les destructions des guerres de Religion. À Échillais, l'église Notre-Dame est une construction du 12e siècle parmi les plus représentatives de l'art de l'ornement cher aux maîtres d'œuvre saintongeais. Sur sa façade, on découvre un de ces fameux chapiteaux à masque démoniaque « engoulant » qui semble avaler la colonne qu'il coiffe.

Le bourg de Champagne, entouré de jardins.

À Champagne, c'est l'architecture gothique qui fait son apparition, dans une enveloppe encore romane. Plus au sud, à Saint-Symphorien-de-Broue, lieu de pèlerinage ancien en bordure des marais, la façade occidentale de l'église abrite les *Vieillards de l'Apocalypse* et le *Combat des Vertus et des Vices* associés à une curieuse *Annonciation*.

Deux autres sites présentent un intérêt particulier. À Moëze, le clocher flamboyant de l'église et le monument qui tient lieu de croix hosannière forment un ensemble des plus heureux.

Quant au village de Saint-Jean-d'Angle, il mérite une mention particulière pour son clocher gothique, dont la flèche ne fut jamais édifiée, sa vieille halle en bois et surtout son château, une petite forteresse de la guerre de Cent Ans remarquablement restaurée par son propriétaire.

Saint-Jean-d'Angle, son clocher inachevé et son château entouré de douves.

La croix hosannière de Moëze, étonnant monument
du 16e siècle doté de vingt colonnes corinthiennes,
et, en arrière-plan, la flèche flamboyante de l'église.

LA SAINTONGE ROMANE

Romane, certes, mais romaine aussi, par l'Histoire, les pierres et le patrimoine, cette partie du département est avant
tout le cœur historique de l'ancienne cité des Santons et du
diocèse médiéval de Saintes. Ces terres sont les plus proches de ce fleuve que François Ier appelait « le plus beau ruis-
seau » de son royaume. La Charente est là, parcourant de
son cours indolent des paysages dont la douceur ne manque
pourtant pas de réserver quelques surprises. Champs et
prairies, vignes et bois, ruisseaux et rivières, mais aussi
falaises calcaires et terres inondables, et même quelques
vallons encaissés, composent l'éventail des paysages de ce
pays au carrefour des grandes routes et du principal fleuve
d'entre Loire et Gironde. La ville de Saintes, tête de pont sur

la Charente, capitale historique de la cité gallo-romaine, du diocèse médiéval et de la province, demeure un joyau architectural où de prestigieux monuments sont sertis dans un subtil tissu urbain classique. Alentours, jusqu'aux limites des marais de Rochefort et de la vallée de la Seudre, on ne compte pas les villages au charme rustique s'étirant au soleil de la Saintonge autour de leur église romane. C'est à Saintes, au cœur de la province, que l'on arrive naturellement avant d'explorer les environs. Toutes les principales routes du département se croisent ici depuis des temps immémoriaux.

L'amphitéâtre gallo-romain de Saintes. Un monument exceptionnel, construit au 1er siècle de notre ère, et qui reçoit encore des spectacles estivaux dans le cadre des Sites en Scènes.

DE MEDIOLANUM A SAINTES, LA LUMIÈRE DE LA VILLE

Les Romains avaient bien compris l'avantage stratégique du site qui servit de berceau à la ville de Saintes, ou plutôt à *Mediolanum*, chef-lieu de la cité des Santons, et peut-être – même si cette hypothèse demeure fragile – première capitale d'une des vastes provinces de l'Empire : l'*Aquitania*. Une large vallée inondable, un plateau calcaire de faible altitude dominant un petit dépôt alluvial dans une boucle du fleuve, voilà pour le site. Un point suffisamment en amont de l'embouchure pour n'être plus sous l'emprise de la marée, mais assez proche du littoral pour assurer le contrôle de ce terroir riche en possibilités économiques, voilà pour la situation. Ville pont, ville carrefour, ville centrale. Tels sont encore les atouts de Saintes, même si sa jeune rivale rochelaise, plus résolument maritime, lui a soufflé le premier rang avec la complicité de Napoléon.

Le golf de Fontcouverte, où sont conservées plusieurs piles du pont-aqueduc qui desservait l'antique Mediolanum.

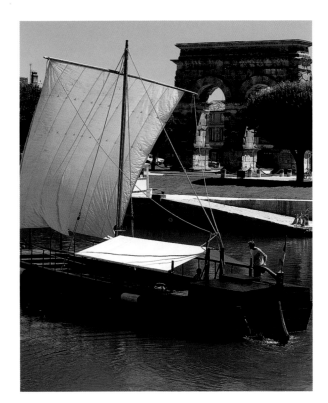

Aujourd'hui, Saintes offre le charme d'une cité déjà méridionale, baignée par la lumière du val de Charente. Elle se mire nonchalamment dans les eaux du fleuve tout en assumant son rôle d'écrin à un semis de monuments plus prestigieux les uns que les autres. L'Antiquité lui a légué un édifice emblématique, un arc romain à deux arches, dit « de Germanicus », qu'avait fait édifier en 18-19 ap. J.-C., à l'entrée du pont, un notable local, Caïus Julius Rufus. Ce santon avait accédé aux plus hautes charges auxquelles pouvait prétendre alors un gaulois, puisqu'il était devenu grand prêtre du culte impérial à Lyon, où on lui doit aussi la construction de l'Amphithéâtre des trois Gaules. L'arc de Saintes, qui porte une inscription à la mémoire des ancêtres de son commanditaire,

L'arc de Germanicus, au bord de la Charente, veille sur le passage de la gabare « Ville de Saintes ».

La flèche de l'église Saint-Eutrope surgit au-dessus des vestiges de l'amphithéâtre.

a été sauvé en 1843 grâce à l'intervention de Prosper Mérimée. Le premier siècle de notre ère a également vu s'organiser la ville selon un plan relativement régulier, tandis que l'on aménageait dans un vallon perpendiculaire à la Charente un amphithéâtre de près de 15 000 places qui demeure un des monuments de ce type les mieux conservés en France après ceux d'Arles et de Nîmes. Dégagée vers 1900, l'arène, creusée dans le fond du vallon, offre un espace de spectacle des plus prisés, ainsi qu'en témoigne le souvenir de nombreuses représentations lyriques qui s'y sont déroulées au cours du 20e siècle, une tradition qui ne s'est pas totalement éteinte, malgré un souci plus grand de la conservation du monument. Il faut dire que le site du vallon est des plus bucoliques, puisqu'il a été préservé de l'urbanisation qui a reconquis ce secteur occidental de la ville depuis un siècle.

Bien d'autres vestiges témoignent dans la ville de ces fastes antiques, des quelques traces de l'ancien rempart du Bas-Empire aux thermes dits « de Saint-Saloine », qui avaient été occupés au début de l'ère chrétienne par une église aujourd'hui disparue. Le Musée archéologique, implanté non loin de l'arc romain, possède une des collections lapidaires antiques les plus riches de France, auxquelles s'ajoutent en particulier les pièces provenant d'un char d'apparat retrouvé dans une fosse cinéraire en 1990.

Mais aujourd'hui, il est difficile, en se promenant dans les rues animées de la capitale des Santons, d'imaginer la cité gallo-romaine. Saintes est à présent une ville classique, à l'architecture sobre et homogène, alliant les façades de calcaire blond aux toitures à tuiles romaines. Le paysage urbain, si changeant sous la lumière éclatante des ciels saintongeais, est ponctué de cyprès, de palmiers, de cèdres, qui contribuent à entretenir une image quasi méditerranéenne. Il faut se perdre dans les ruelles du centre, grimper vers le plateau de l'ancien hôpital pour dominer les toitures aux teintes cuivrées, s'attarder dans la fraîcheur des jardins pour percevoir l'atmosphère particulière de la ville.

Les monuments ne manquent pas, pour offrir autant de haltes prestigieuses au promeneur. Au cœur de la ville, non loin du fleuve, l'ancienne cathédrale Saint-Pierre, édifiée au 15e siècle, étire sa grande carcasse gothique partiellement mutilée lors des guerres de Religion. Son puissant clocher, qui ne reçut jamais sa flèche, se dresse au-dessus des toits de la ville et abrite à sa base un portail gothique flamboyant orné de statues de saints, de prophètes et d'anges musiciens auxquelles une récente restauration a rendu leur superbe. Ce monument singulier et atypique, dont le chevet est coiffé d'une charpente en coque de navire et qui conserve quelques éléments de l'époque romane, est encore flanqué de son ancien cloître canonial. Celui-ci représente un espace de quiétude en fort contraste avec le flanc nord de la cathédrale où se tient, deux matinées par semaine, un marché coloré où foisonnent les produits des terroirs charentais. Malgré le brouhaha qui bruisse autour des étals, les mélomanes pourront être attirés, certains jours, par les puissants accents de l'orgue des 17e et 18e siècles, un des instruments les plus remarquables de la région, par son jeu et par le décor de son buffet.

D'où que l'on vienne, on ne peut pas ignorer la silhouette
massive de la cathédrale Saint-Pierre qui s'élève au milieu
des toits du cœur de ville. Mais il faut y pénétrer pour admirer le buffet de son grand orgue.

Le Haras National est une institution. Les animations n'y manquent pas tout au long de l'année.

Non loin de l'Abbaye-aux-Dames, les bâtiments Art Déco de la Coop Atlantique, une entreprise fortement ancrée dans l'histoire locale.

La gare de Saintes, précédée de sa belle marquise, n'est que la partie visible d'un important dispositif ferroviaire. Saintes est une ville cheminote.

Sur la colline qui domine le Vallon des Arènes, se dresse la flèche flamboyante de l'église Saint-Eutrope, la grande église de pèlerinage, associée autrefois à un prieuré de l'ordre de Cluny. Le sanctuaire fut édifié sur la sépulture d'Eutrope, évangélisateur des Santons, martyrisé, d'après la tradition, par le gouverneur romain dont il aurait converti la fille Eustelle. Aujourd'hui encore, les « jacquets » en route pour Compostelle, qui sont accueillis dans une halte près de l'église, viennent se recueillir dans la crypte du 11e siècle, au-dessus de laquelle s'élève l'ancien chœur des moines. Saint-Eutrope est un édifice majeur dans l'histoire de l'art roman de l'Ouest. Son dispositif architectural, difficile à appréhender depuis la démolition de la nef en 1803, était unique dans la région : la nef était établie à mi-hauteur entre le chœur monastique à déambulatoire et chapelles rayonnantes et la crypte de même plan sur laquelle celui-ci repose. Tout un système d'escaliers menait les pèlerins vers la crypte. Même s'il ne subsiste que le chevet roman, celui-ci, par la richesse de son décor sculpté et par son rôle de modèle pour de nombreuses églises rurales, est digne de figurer dans les manuels d'histoire de l'art. À lui seul, le choc émotionnel que produit l'atmosphère de la crypte vaut tous les discours.

Saint-Eutrope, le sanctuaire de pèlerinage édifié par les clunisiens à partir de 1081, avec sa crypte romane. Une découverte qui ne manque jamais d'impressionner les visiteurs.

LA MUSIQUE À SAINTES

Le Festival de Saintes est né en 1972, sous l'impulsion d'Alain Paquier, un précurseur dans le domaine des musiques baroques interprétées sur instruments anciens. Tous les grands noms sont venus se produire ici, dans le cadre magnifique de l'Abbaye-aux-Dames, qui, grâce à cet événement majeur, a été entièrement restaurée pour devenir un Centre Culturel de Rencontres de renommée internationale. Philippe Herreweghe, à la tête de la Chapelle Royale, du Collegium Vocale de Gand ou de l'Orchestre des Champs-Élysées, a élargi le répertoire, et a fait de Saintes le laboratoire de toutes les musiques en quête d'une interprétation authentique. Tous les étés, en juillet, l'Abbaye-aux-Dames est un de ces endroits rares où la magie des voix et des instruments rencontre l'esprit d'un lieu. Désormais, la dynamique musicale se poursuit tout au long de l'année grâce aux activités de formation, de recherche et de création.

Sur la rive droite, dans le faubourg Saint-Pallais, l'Abbaye-aux-Dames occupe depuis 1047 une place prépondérante dans l'histoire régionale. Fondée par Geoffroy Martel, comte d'Anjou, et son épouse Agnès de Bourgogne, elle fut le plus puissant monastère de Saintonge après l'abbaye de Saint-Jean-d'Angély. Son église romane est avec celle de Saint-Eutrope un des points culminants de l'art roman saintongeais. Son clocher, coiffé d'un élégant dôme à écailles, partage avec celui de Notre-Dame-la-Grande de Poitiers une source d'inspiration antique, probablement un mausolée comme il devait s'en dresser dans les anciennes nécropoles gallo-romaines. Sa façade occidentale, bien qu'amoindrie par les mutilations des guerres de Religion, est encore une des plus riches de la région. Son portail et les arcades aveugles qui l'encadrent nous laissent entrevoir quelques fragments d'un programme iconographique extrêmement complexe. On en retiendra surtout les *Vieillards de l'Apocalypse*, qui sont passés ici de 24 à 53, ainsi qu'une saisissante série de scènes de tuerie évoquant le *Massacre des Innocents*. À l'intérieur, si la nef a perdu ses deux immenses coupoles, leur remplacement par un plafond en bois est une aubaine pour les mélomanes qui viennent goûter ici aux plaisirs de la musique vocale.

Le clocher de l'Abbaye-aux-Dames est serti de chapiteaux sculptés du 12e siècle. Au 17e siècle, la sculpture fut moins présente dans les reconstructions des bâtiments monastiques, même si l'on peut admirer quelques belles pièces, comme cette clé de voûte pendante.

SCULPTURE ROMANE (Saintes)

Nul ne contestera la richesse de la sculpture qui orne la plupart des édifices romans de la Saintonge. Ce foisonnement s'explique bien sûr par les qualités de la pierre calcaire de la région, mais aussi par un véritable élan qui est d'ordre culturel. Saintes, capitale du diocèse qui concentre les monuments les plus prestigieux de leur temps, en fut sans doute le creuset. Dès le milieu du 11e siècle, à l'église abbatiale Notre-Dame, des chapiteaux ornés de feuillages et d'entrelacs firent leur apparition. Mais le chantier déterminant fut celui de Saint-Eutrope de Saintes, dans les années 1080-1100. Là, une première équipe de sculpteurs, imprégnés de modèles poitevins, a su appliquer aux chapiteaux de la crypte des motifs empruntés à des frises gallo-romaines. Au début du 12e siècle, un nouvel atelier produisit à la croisée du transept un ensemble de chapiteaux où se multiplient les figures animales et humaines mêlées à des fonds végétaux, dans des compositions complexes, visiblement inspirées de l'enluminure des manuscrits. C'est ce type de décor qui se propagea dans toute la région d'une façon extrêmement rapide. Ce sens de l'ornementation n'empêcha pas le développement de programmes iconographiques savants, par le biais de scènes historiées qui se déploient également sur les voussures des portails, comme le montre la nouvelle façade de l'église Notre-Dame de Saintes, sans doute réalisée dans les années 1120.

UN RICHE PATRIMOINE GALLO-ROMAIN (Saintes)

La Saintonge était le pays des Santons, tribu gauloise dont Jules César nous apprend qu'elle était cousine des Helvètes et que la migration de ces derniers vers l'Ouest fut un des prétextes à l'intervention romaine en Gaule. Après la conquête, la cité des Santons fut rapidement intégrée à la civilisation romaine. Située à l'extrémité d'un important axe stratégique venant de Lyon, Saintes, l'antique *Mediolanum*, fut dotée d'une parure monumentale digne d'une grande capitale. Les fragments de ces monuments peuplent aujourd'hui le musée archéologique de la ville, tandis que certains édifices encore préservés – l'amphithéâtre, l'arc de Germanicus, notamment – comptent parmi les principaux témoins de l'Antiquité gallo-romaine dans la France de l'Ouest. La récente découverte du site du Fâ à Barzan, sur l'estuaire de la Gironde, vient enrichir considérablement ce patrimoine. Il s'agit là d'un des principaux sites portuaires de la façade atlantique – probablement l'antique *Novioregum* – abandonné très tôt et tombé dans l'oubli jusqu'à ces dernières années. Désormais, c'est un des sites archéologiques majeurs au plan national.

En remontant le temps, du début du 20e siècle et ses décors Art Nouveau aux beaux intérieurs du 18e siècles, parés de ferronneries rococo.

Les rues du centre réservent bien d'autres surprises, grandes ou petites, à qui prend le temps de la découverte. Les hôtels particuliers du 17e et du 18e siècle, parfois très discrets, cachent souvent de beaux escaliers aux ferronneries virtuoses. Derrière les fenêtres ornées de mascarons ou les lucarnes maniéristes, les intérieurs se font secrets, et il faut s'y faire convier pour découvrir boiseries ou cheminées anciennes. Les musées de la ville – deux musées des Beaux-Arts et le musée Dupuy-Mestreau, avec ses collections d'art et tradition populaires – occupent trois ensembles architecturaux parmi les plus remarquables. L'hôtel dit « le Présidial » est une belle demeure manié-riste du début du 17e siècle et l'hôtel Monconseil, édifié en 1738, dresse sa façade à fronton et balcon rococo au-dessus de la Charente. L'ancien Échevinage, enfin, associe une façade et un portail ouvragé du 18e siècle à un beffroi des 15e et 16e siècles, témoin de l'émancipation urbaine initiée dès le règne d'Aliénor d'Aquitaine. L'ancien couvent des Jacobins, dont la chapelle conserve la plus belle verrière gothique de toute la région, fut investi à la fin du 19e siècle par le négociant Maurice Martineau, bibliophile averti, qui fit don à la ville de sa demeure et de ses collections. C'est pourquoi la Médiathèque François-Mitterrand occupe désormais ces lieux.

Une introduction aux richesses de la capitale de la Saintonge s'offre aujourd'hui au visiteur dans un ancien hôtel particulier jouxtant la Médiathèque. Derrière une entrée monumentale très contemporaine est établi le Centre d'Interprétation de l'Architecture et du Patrimoine et son exposition permanente intitulée « Saintes, la lumière de la ville ». L'exposition donne accès, de façon privilégiée, à un jardin en terrasses qui se développe autour d'une cour à galeries comme la ville en cache plusieurs.

LA FOIRE DE SAINTES

Elle remonte au Moyen Âge et c'est encore une des plus importantes de France, avec ces centaines de marchands forains qui viennent chaque premier lundi du mois investir les principales artères de la ville. La foire de Saintes est aujourd'hui encore le rendez-vous mensuel de toutes les campagnes environnantes. Agriculteurs et viticulteurs, chasseurs et pêcheurs, citadins en quête d'affaires à saisir, tout le monde trouve son compte dans cet immense marché où les effluves de grillade et les flonflons aux airs de bals populaires viennent accompagner les cris des bonimenteurs. Un condensé de terroir, dont seuls les esprits sceptiques ou noyés dans la nostalgie mettraient en doute l'authenticité.

La terrasse du Gallia Théâtre entièrement rénové crée un point de vue inédit sur le cours National, dont les passants sont observés par les statues allégoriques du 19e siècle.

Le plongoir de la piscine de Saintes, réalisé en 1963 par l'architecte Raymond Rivaud, compte parmi les oeuvres les plus intéressantes de l'architecture du 20e siècle dans le département.

LE PAYS DES BOIS
ET DES VIGNES

Sur la rive droite de la Charente, au nord de Saintes, s'ouvre une zone boisée sur un plateau qu'entaillent de petites vallées encaissées. C'est au travers de ce relief accidenté que les Romains firent circuler leur aqueduc, captant plusieurs sources. Les vestiges de cet ouvrage considérable sont encore conservés dans le golf de Fontcouverte. À Vénérand et au Douhet, les sources de captage sont encore visibles dans des sites très pittoresques. Le Douhet possède aussi un château du 18e siècle, hélas soumis aux aléas du temps, dont les bassins sont alimentés par l'antique conduite d'eau. L'église Saint-Martial, qui appartenait aux évêques de Saintes, est un superbe écrin roman pour des peintures murales des 15e et 16e siècles, récemment restaurées.

Le château du Douhet, qui a conservé ses communs du 18e siècle et son pigeonnier du 16e siècle, servit de résidence aux évêques de Saintes avant la Révolution. On espère que les incertitudes qui planent sur sa destinée se lèveront rapidement.

*Le village de Chérac possède, non loin de l'église et de son « ballet »,
une curieuse maison ornée de mosaïques faites en tessons de vaisselle.*

Une petite maison « à ballet »,
près des Fontaines de Vénérand.

Dans les abris naturels que procurent les affleurements rocheux, les hommes ont trouvé refuge dès les temps préhistoriques. C'est un peu plus à l'est, dans la vallée du Coran, que fut découvert en 1979, à Saint-Césaire, le squelette d'une jeune femme néanderthalienne dans un environnement d'objets appartenant déjà à la culture de l'Homme moderne. Cette découverte a bouleversé les théories admises jusque-là sur la succession des civilisations préhistoriques et a donné naissance au Paléosite de Saint-Césaire, qui vient récemment d'ouvrir ses portes. Ce centre d'interprétation a pour ambition de drainer un public nombreux d'amateurs et de curieux vers ce petit vallon qui a bien d'autres atouts à faire valoir.

Bien plus modeste, mais pas moins sympathique est le petit musée de la Mérine à Nastasie, du nom d'une pièce de théâtre patoisante, situé dans le village des Bujoliers. Le nom même de ce village rappelle la présence des potiers qui fabriquaient ici les bujours, ces grands vases en terre cuite servant à la lessive. Tout à côté, la mémoire des potiers est encore plus vivace à la Chapelle-des-Pots, qui fut un centre de production de céramique de table réputé dans toute l'Europe dès le Moyen Âge. Sans doute est-ce auprès de ces céramistes que Bernard Palissy mit au point sa célèbre technique de faïence. Aujourd'hui encore, une entreprise locale perpétue la tradition.

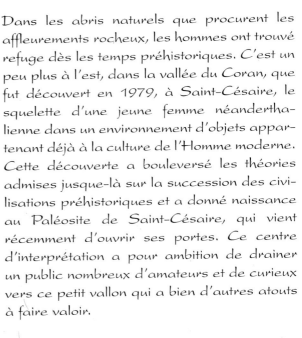

Le clocher de Saint-Bris-des-Bois, dont les formes romanes sont estompées par des consolidations modernes.

On ne saurait bouder le charme de ces villages plus ou moins perchés sur les collines qui bordent la vallée du Coran. Saint-Sauvant en est le plus pittoresque, avec son église romane qui surplombe les maisons du bourg et l'ancienne tour défensive du 14e siècle. À Saint-Bris-des-Bois également, l'église aux origines anciennes est placée sur un promontoire, tandis que le village s'étire dans la vallée.

Saint-Sauvant, un village à la topographie accidentée tout-à-fait atypique dans la région.

La salle capitulaire de Fontdouce, sans doute une des plus belles qui soient préservées dans l'Ouest.

À l'extérieur de l'agglomération, sur la route de Burie, se cache un monument qui, malgré son état de ruine, compte parmi les sites les plus pittoresques du département. Ayant perdu son église, l'ancienne abbaye bénédictine de Fontdouce, née au 12e siècle, n'en conserve pas moins deux chapelles romanes superposées et une magnifique salle capitulaire couverte de neuf croisées d'ogives du 13e siècle. Mais c'est son environnement, avec ses jardins et son système hydraulique entretenus depuis des générations par la famille Boutinet, qui en fait un cadre idéal pour des concerts, des promenades et des spectacles de plein air.

Les collines et les bois s'interrompent pour surplomber en terrasse l'immense dépression du « Pays Bas » viticole dont Burie commande l'accès. Depuis l'église de Villars-les-Bois on domine en un superbe point de vue toute la région qui s'étend au nord-est vers Matha et le pays d'Aigre en Charente. Burie, patrie du barde saintongeais Évariste Poitevin, plus connu sous le nom de Goulebenèze, est aussi réputée être une des capitales du Pineau des Charentes.

L'église de Villars-les-Bois domine les plaines viticoles du Pays Bas qui s'étendent au nord de Burie.

À Migron, l'Écomusée du Cognac, installé dans une propriété familiale, vient compléter l'attrait d'un village plein de charme, groupé autour de l'église Saint-Nazaire et d'un lavoir protégé par un « ballet ». À l'écart, dans une zone de marais, Château-Couvert dresse ses toitures d'ardoise au milieu des peupliers.

ÉCOMUSÉE MIGRON

Le Logis des Bessons, sur la commune de Migron, est au cœur d'une propriété viticole toujours en activité, qui appartient depuis le 19e siècle à la famille Tesseron. Depuis une quinzaine d'années, les propriétaires ont décidé d'ouvrir leur exploitation au public. Ainsi est né l'Écomusée du Cognac. On peut y découvrir chais et distillerie, pressoir et alambics, et toute la panoplie des outils et équipements nécessaires à la production de la précieuse eau-de-vie, issue d'une double distillation et vieillie en fûts de chêne du Limousin. On y apprendra également l'histoire du cognac, les subtilités de ses terroirs et de ses modes de production.

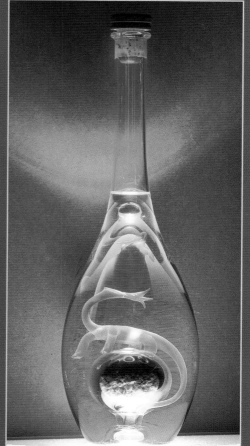

LE PAYS DE LA PIERRE
SUR LA RIVE GAUCHE DE LA CHARENTE

En aval de Saintes, la rive gauche du fleuve est largement dédiée à la mémoire de l'exploitation des carrières de pierre qui, après leur extinction, ont donné lieu à une remise en valeur et une réappropriation des plus fécondes. Le tracé même de l'autoroute Saintes-Rochefort permet de magnifier d'anciens fronts de taille des carrières de Crazannes, abandonnées seulement depuis quelques décennies.

Le village de Crazannes, déjà réputé pour son château à la très belle façade sculptée du début du 16e siècle, est devenu un pôle majeur dans l'évocation des « pierreux » et de leurs savoir-faire.

PIERRE ET CARRIÈRES

La pierre est omniprésente en Charente-Maritime. Située sur le versant nord du Bassin Aquitain, la Saintonge bénéficie d'un sous-sol sédimentaire, où domine, au sud de la Charente, le calcaire crétacé. C'est dans ce vaste secteur, entre la région de Saintes et la Haute Saintonge, que se concentre aujourd'hui l'essentiel de l'activité d'extraction. Désormais, les carrières de Thénac, au sud de Saintes, et celles d'Avy, au sud de Pons, sont les seules qui restent en activité, tandis qu'à Cadeuil, plus à l'ouest, on extrait sables et graviers. Mais depuis l'Antiquité, de très nombreux sites ont été exploités, autour de Saintes, de Pons ou de Jonzac, et la pierre de Saintonge s'exportait même au-delà des mers. Beaucoup de sites sont tombés dans l'oubli et d'autres, fermés depuis moins d'un siècle, font désormais partie du patrimoine local et deviennent un atout de développement. L'exemple des carrières de Crazannes, paradoxalement mises en valeur par l'autoroute – et bien sûr par l'engagement des habitants – est des plus significatifs. À Port-d'Envaux, l'expérience très originale des Lapidiales a permis à des artistes sculpteurs d'investir d'anciens fronts de taille pour créer une gigantesque œuvre collective qui s'enrichit d'année en année à l'occasion d'un symposium alliant convivialité et émulation artistique.

À Port-d'Envaux, c'est l'affrètement de gabares et de bateaux destinés à l'exportation de pierres, et aussi d'autres matériaux, tels que le bois, qui fit la fortune des armateurs locaux. Leurs magnifiques demeures alignent leurs jardins le long du fleuve entre l'ancienne paroisse de Saint-Saturnin-de-Séchaud, dont l'église romane possède un mobilier et un décor intérieur du 19e siècle très homogènes, et le château de Panloy, belle demeure aristocratique du 18e siècle, où le marquis de Grailly n'hésite pas à accueillir les visiteurs en costume d'époque.

Le pigeonnier et la façade du château de Panloy.

La Roche-Courbon, un cadre exceptionnel.

Plus loin vers l'ouest et vers Rochefort, à la rencontre de l'ancien littoral, Saint-Porchaire est une petite ville où plane encore le souvenir de Pierre Loti, car c'est là que le futur écrivain passait ses vacances d'enfant. Le château de la Roche-Courbon, qu'il appelait le « château de la Belle au Bois Dormant » et auprès duquel il connut ses premiers émois de jeunesse, fut sauvé grâce à lui et à son acquéreur, Paul Chénereau, qui fit réaliser dans les années 1920 le jardin à la française que l'on admire aujourd'hui. Le château, constitué d'un vaste corps de logis encadré par deux tours rondes que relie par un balcon, se dresse au-dessus des bassins. Un lieu idyllique que Loti apprécierait dans son éclat actuel.

LA GALETTE DE BEURLAY

C'est dans les années 1950 que Georges Barraud, héritier d'une longue tradition de boulangers-pâtissiers, s'est lancé dans la production industrielle d'un biscuit basé sur une recette traditionnelle saintongeaise. La Galette de Beurlay était née. Depuis lors, l'entreprise familiale n'a cessé de se développer, et la galette est venue s'inscrire au Panthéon de la gastronomie charentaise à côté du pineau, avec lequel elle se marie fort bien.

L'église de Geay mérite elle aussi une visite. Son chevet à pans coupés propose une variante plus sobre, mais non moins élégante, de ces élévations à arcatures que l'on retrouve à Rétaud ou Rioux et qui sont redevables aux chapelles rayonnantes de Saint-Eutrope de Saintes.

Une maison charentaise à Geay.

Le chevet de l'église de Geay et la petite chapelle de l'Hôpitaux, non loin de la Charente, deux aspects de l'art roman saintongeais.

LES SEUGNES
ET LA PLAINE MÉRIDIONALE

La Seugne se jette dans le fleuve entre Saintes et Chaniers. Ce village de la rive gauche possède encore un des rares bacs en fonction sur la Charente. Celui-ci assure la liaison avec la commune de Courcoury, véritable île entourée par les bras de la Seugne, paradis des pêcheurs.

Le bac de Chaniers, une autre façon d'apprécier la Charente.

L'église Saint-Pierre de Chaniers est un des rares édifices romans de la région dont le chevet présente un plan tréflé. Son volume est d'autant plus singulier qu'il fut rehaussé au temps des guerres anglaises pour servir de forteresse. En amont du bourg, la Charente a été aménagée au 17e siècle pour alimenter le moulin de la Baine, doté d'une batterie de cinq roues hydrauliques. Ce site des plus pittoresques est aujourd'hui voué au loisir, le moulin ayant été transformé en restaurant.

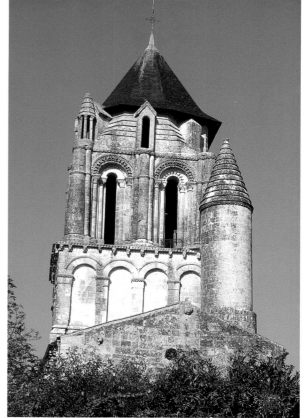

Un portail de ferme charentaise et le curieux clocher de l'église de Berneuil, qui n'a conservé que deux pans de son élévation romane.

La vallée de la Seugne, qui serpente entre Saintes et Pons, abrite le village de Colombiers, dont l'église romane, coiffée d'un curieux clocher du 19e siècle, recèle quelques chapiteaux richement ornés.

La fertile région de la Champagne qui s'amorce à l'ouest de la vallée offre un paysage ondoyant d'où émergent clochers et châteaux d'eau. À Berneuil, la curieuse association visuelle entre ces deux éléments est d'autant plus surprenante que la tour romane n'est conservée que sur deux de ses côtés.

Paradoxalement, ce n'est pas au nord de Saintes, où les anciennes carrières sont nombreuses, mais au sud que se tient une des dernières grandes exploitations de la pierre calcaire locale, à Thénac. La pierre de Thénac est une des plus utilisées aujourd'hui encore pour la restauration des monuments de la région. Cette commune s'inscrit dans le sillage historique de Saintes et l'on y trouve de remarquables vestiges antiques. Au village des Arènes, situé près de la route de Bordeaux, au sud de l'ancienne base aérienne qui abrite l'École de l'Armée de l'Air, un ancien théâtre gallo-romain a été mis au jour, dans un site qui devait être un sanctuaire rural. À proximité, un ancien prieuré de chanoines, dont la chapelle gothique est encore visible, s'appuie sur les vestiges de thermes antiques. On a là le plus haut mur gallo-romain en petit appareil qui soit préservé dans le département en dehors de Saintes.

ENTRE SEUDRE ET ARNOULT

De Gémozac, au sud, à Pont-l'Abbé-d'Arnoult, le paysage agricole moucheté de quelques résidus boisés, est dévolu à la polyculture, la vigne se mêlant au maïs, au tournesol ou au colza. Les terres de la vallée de l'Arnoult, qui fut sans doute primitivement un petit fleuve parallèle à la Charente, sont dévolues, entre Saintes et Trizay, au maraîchage.

Le portail de l'église Saint-Pierre de Pont-l'Abbé-d'Arnoult, ancien prieuré de l'Abbaye-aux-Dames de Saintes.

MARAÎCHAGE
DANS LA VALLÉE DE L'ARNOULT

En pays charentais, les terres noires organiques des régions marécageuses sont
appelées des varennes. La vallée de
l'Arnoult en est particulièrement riche, et
ces terres sont propices aux cultures
maraîchères. Autour de La Clisse, de Pont-
l'Abbé, de Saint-Sulpice-d'Arnoult ou de
Trizay ces cultures se sont développées,
créant un paysage particulier, où d'immenses champs produisent une grande quantité
de légumes et de fruits de saison.

D'anciennes enseignes peintes rappellent
la prospérité du bourg de Gémozac.

Rétaud et Rioux, les deux églises « jumelles »
au décor exubérant.

Le bourg de Gémozac fut autrefois un important marché, desservi au 19e siècle par la
ligne de chemin de fer de Saintes à
Mortagne. Non loin de là, la famille Deau a
aménagé un magnifique jardin agrémenté
d'un arboretum. À Tanzac, l'église romane
possède un des plus beaux ensembles de
peintures murales de la région, sans doute de
la fin du 13e siècle.

Ici, l'appellation du pays se trouve pleinement
justifiée, les églises romanes étant si nombreuses qu'on ne saurait les énumérer toutes ;
c'est une véritable constellation, où chacune
brille à sa façon. Celles de Rétaud et de
Rioux, les plus brillantes sans doute, sont
presque jumelles, tant sont semblables leurs
chevets à pans coupés où prolifèrent les
motifs ornementaux. Comment ne pas citer
Thézac et son fier clocher roman, un des plus
élégants de la Saintonge romane, Corme-
Écluse et sa superbe façade à arcatures, ou

l'église Saint-Pierre-ès-Liens de Thaims construite sur les ruines d'une villa gallo-romaine ? Et l'on pourrait prolonger la liste à l'infini, s'il n'y avait pas aussi de nombreux autres points d'intérêt à évoquer ici, des halles de Pisany au petit château de Nieul-lès-Saintes, en passant par la pile gallo-romaine de Pirelonge, à Saint-Romain-de-Benêt, près du hameau du même nom où l'on peut visiter un véritable petit écomusée privé.

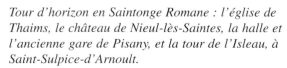

Tour d'horizon en Saintonge Romane : l'église de Thaims, le château de Nieul-lès-Saintes, la halle et l'ancienne gare de Pisany, et la tour de l'Isleau, à Saint-Sulpice-d'Arnoult.

Ces contrées occidentales, traversées par les routes du sel, sont aussi le domaine des abbayes et des grands prieurés, souvent installés sur les friches de la grande forêt de Baconais. Sablonceaux, grande abbaye de chanoines réguliers, fut fondée au 12e siècle par le duc Guillaume, sous la pression de saint Bernard. Le clocher gothique de l'église abbatiale se dresse au milieu de la plaine, au-dessus des bâtiments monastiques du Moyen Âge et du 18e siècle, qui sont aujourd'hui remis en valeur.

L'ancien monastère de chanoines réguliers de Sabloneaux rassemble tous les styles, du 12e au 18e siècle.

Non loin de là, l'Abbaye-aux-Dames de Saintes possédait plusieurs prieurés importants, dont ceux de Corme-Royal et de Pont-l'Abbé-d'Arnoult de leurs les façades occidentales des églises comptent parmi les plus belles pages de la sculpture romane saintongeaise. L'abbaye auvergnate de la Chaise-Dieu fut elle aussi richement dotée dans cette région. Deux de ses anciens prieurés témoignent encore de l'architecture monastique romane. À Sainte-Gemme, l'ancien cloître, amoureusement entretenu par sa propriétaire, Madame Audier, est presque complet, tandis que l'église ne possède plus que sa nef, précédée d'un narthex que couvrent des croisées d'ogives primitives.

À Trizay, non loin des Jardins de Compostelle, qui animent le site d'anciennes gravières réhabilitées, c'est une véritable renaissance qu'a connue l'ancien prieuré Saint-Jean-l'Évangéliste, situé en bordure des terres maraîchères de l'Arnoult. Son église était conçue selon un plan octogonal, s'ouvrant sur une abside orientée encadrée par deux absidioles placées sur les pans coupés. Seuls ces trois éléments ont été préservés, mais ils sont suffisamment spectaculaires pour donner une idée de ce que fut cet édifice hors du commun, baigné depuis peu par la lumière de magnifiques vitraux de Richard Texier. Les ailes monastiques, également restaurées, accueillent désormais des expositions d'art contemporain.

Les façades occidentales des églises romanes de Saintonge peuvent être d'une richesse peu commune.
Ici Corme-Royal et Corme-Écluse.

L'ancien prieuré Saint-Jean-l'Évangéliste de Trizay occupe une place à part dans le paysage monumental de la Saintonge. Sa restauration et sa mise en valeur sont exemplaires.

PAYS DE HAUTE SAINTONGE

La référence à l'altitude peut faire sourire l'auteur de ces lignes, né sous d'autres cieux, et plus encore l'allusion à la « petite Suisse de Saintonge » pour évoquer les environs de Montlieu-la-Garde, quand on sait les faibles altitudes des reliefs saintongeais. Et pourtant, en comparaison avec le paysage du littoral et de la basse vallée de la Charente, il est vrai que la Haute Saintonge constitue une zone de collines qui sépare les bassins de la Charente et de la Gironde. Cette grande pointe méridionale du département, qui s'étire loin vers les marges de la Guyenne et du Périgord, est un territoire singulier, en premier lieu pour son paysage et sa culture, dans les deux sens que l'on peut prêter à ce terme. Pourtant, ici comme ailleurs, d'un bord à

l'autre, les contrastes ne font pas défaut. Des zones agricoles qui s'étendent aux environs de Pons aux vastes étendues forestières trouées par des landes de la Double saintongeaise, et des vignobles de la Petite Champagne d'Archiac aux berges de l'estuaire de la Gironde, les amateurs de variété paysagère ne seront pas déçus. Et les spécificités de ce vaste terroir sont plus nombreuses et plus riches que ne le laisserait penser sa réputation de terre des marges et des confins. Ici, l'exubérance romane, toujours aussi riche, se confronte à la rudesse et à l'austérité d'une architecture plus rurale, où les traditions et les savoir-faire ancestraux, parfois très localisés, se sont préservés plus longtemps qu'ailleurs.

PONS, UNE HALTE HOSPITALIÈRE À L'OMBRE DU DONJON

Cet ancien *oppidum* gaulois a toujours conservé son caractère de site fortifié, puisque son donjon, qui se dresse fièrement sur le plateau au-dessus de la vallée de la Seugne, continue de défier le temps. Les sires de Pons furent une des puissantes familles de l'aristocratie saintongeaise, et leur forteresse connut maintes escarmouches. Du temps des guerres anglaises, ils furent toujours engagés, et la cité qui s'était développée à l'ombre du château eut à souffrir de ces crises. Mais les guerres de Religion durant lesquelles s'illustra

Agrippa d'Aubigné, puis les combats de la
Fronde au 17e siècle, firent de tels ravages
que la ville eut du mal à s'en remettre.
Aujourd'hui, les plaies du passé se sont
muées en de glorieuses cicatrices, et les
monuments hérités de ces siècles lointains
nourrissent le tourisme.

Le donjon est une vaste tour quadrangulaire
haute de plus de 20 m, réédifiée par Geffroy
de Pons à la fin du 12e siècle, après avoir été
mise à mal par Richard Cœur de Lion.
Une restauration quelque peu abusive fut
effectuée lorsque Émile Combes était maire
de la ville au début du 20e siècle. De sa
plate-forme, le vaste panorama qui s'offre au
regard du visiteur n'a rien à envier à ceux
que l'on découvre du haut des phares du

*De par son site perché, le château de Pons offre une
multitude de facettes. Le corps de logis du 17e siècle
qui abrite la mairie jouxte le vieux donjon roman.*

Graffiti de pèlerin sous le beau porche de l'Hôpital-Neuf, qui vient de connaître une importante campagne de restauration.

littoral. Mais si la tour médiévale est le signal le plus visible dans le paysage, et ce depuis des kilomètres à la ronde, c'est un monument plus discret qui fait désormais la réputation de Pons.

Située entre Saintes et Blaye, deux centres de pèlerinage prestigieux sur la *Via turonensis*, la ville était devenue dès le 11e siècle un lieu de halte et d'hospitalité pour les pèlerins et les voyageurs. Aussi, le même Geffroy de Pons qui avait fait reconstruire le donjon

fonda-t-il un hôpital sur le chemin, à l'extérieur de l'enceinte urbaine et du faubourg Saint-Vivien, dont l'église paroissiale n'a conservé que sa façade romane.

L'Hôpital-Neuf lui aussi a connu d'importantes destructions mais sa structure est encore nettement perceptible, d'autant qu'il a conservé un spectaculaire porche voûté séparant la salle des malades ou des pèlerins de l'église — aujourd'hui disparue, à l'exception de son portail — et couvrant le passage de

Le Jardin Médiéval fait suite à un auvent qui abritait les latrines pour les malades, découvertes lors des fouilles archéologiques.

la route. Les portails de tradition romane qui se font face de part et d'autre de la chaussée sont environnés d'enfeus et couverts de graffitis de pèlerins. La salle des malades a retrouvé récemment son allure médiévale, à l'architecture sobre et fonctionnelle. Une charpente arachnéenne, datée du 13e siècle, repose sur de simples piliers cylindriques. À l'arrière du bâtiment a été recréé un jardin médiéval, où il fait bon se promener au milieu des simples de la pharmacopée traditionnelle. Cet ensemble unique en Europe est évidemment classé au titre du Patrimoine mondial par l'UNESCO.

Au-delà de ces ensembles monumentaux, Pons offre de par son site exceptionnel, de belles promenades, à commencer par celle de l'esplanade du château, qui borde la mairie, installée dans le logis reconstruit sur l'à-pic du plateau au 17e siècle. En son extrémité se trouve l'ancienne entrée de la

Les ronds-points routiers servent à évoquer l'Histoire. Les Pèlerins de Pons en sont un exemple pittoresque.

forteresse, protégée symboliquement par la chapelle Saint-Gilles, au beau portail roman, associée désormais aux collections lapidaires archéologiques de la cité pontoise. En contrebas, les bras de la Seugne, autrefois dévolus aux activités des tanneurs et chamoiseurs, serpentent entre des parcelles de jardins et de prairies plantées de peupliers, reliées entre elles par une multitude de petites passerelles.

À l'extérieur de la ville, il nous est offert de conjuguer l'insolite à l'Histoire lors d'une pause ludique au Château des Énigmes. Usson est bel et bien un véritable château de la Renaissance orné de remarquables sculptures, qui fut démonté et déplacé depuis Échebrune à la fin du 19e siècle par un ingénieur ingénieux qui l'a fait remonter – dans le désordre, mais avec goût – aux Égreteaux. Au vu d'un destin aussi extravagant, il n'y a guère de surprise à le voir aujourd'hui aménagé, avec son parc, en un espace de jeux pour les petits et les grands.

GRAFFITIS

Pourquoi ici plus qu'ailleurs ? On ne saurait le dire. La pierre tendre de toute la Saintonge fut de tout temps propice à l'expression des « graffiteurs ». Cela commence par les simples « marques de tâcherons », ces signes que les tailleurs de pierre gravaient sur chaque bloc pour identifier leur travail. On trouve aussi, un peu partout, des traces laissées par les pèlerins – croix ou fers à cheval. Plus largement, certains dessins plus sophistiqués montrent notamment des bateaux de l'époque moderne. Il est toutefois difficile de trouver une explication à l'étrange profusion d'images gravées sur les édifices romans de la région de Jonzac et de Pons. Le cas le plus extraordinaire est sans conteste celui de l'église de Moings. Là, sur les murs du chœur roman, ont été découvertes sous un badigeon, des scènes d'une extraordinaire richesse dont le contenu est incontestablement contemporain de la construction de cette partie de l'édifice au 12e siècle. Scènes guerrières, attaque d'un château fort, paons, cavaliers armés et casqués comme ceux de la fameuse broderie de Bayeux forment un ensemble sans équivalent dont de nombreux éléments isolés se retrouvent cependant sur d'autres églises des environs.

SUR LE CHEMIN DE COMPOSTELLE

Pour les pèlerins en route vers Saint-Jacques-de-Compostelle, la Haute Saintonge constituait le dernier segment de leur itinéraire avant l'arrivée à Blaye, où les attendait le tombeau présumé de Roland, le héros de la geste carolingienne. L'UNESCO a classé au titre du patrimoine mondial de l'Humanité ces chemins, leur conférant ainsi un statut privilégié. Parmi les monuments associés à la *Via turonensis*, la voie de Tours, l'Hôpital-Neuf de Pons, fondé dans la seconde moitié du 12e siècle, forme aujourd'hui encore un ensemble exceptionnel. Mais d'autres signes, plus tardifs dans la plupart des cas, permettent de rappeler la mémoire des pèlerins et la foi en saint Jacques. Simples signes lapidaires, graffitis pouvant montrer un pèlerin, comme c'est le cas à Échebrune, peintures murales à Avy-en-Pons, statues de saint Jacques ou de saint Roch, autre saint pèlerin, de Pons, à Montlieu-la-Garde en passant par Belluire, ne manquent pas en Saintonge méridionale.

LE PAYS DES VIGNES, DE PONS À ARCHIAC

Autour de Pons, le paysage agricole dont le vignoble constitue une composante importante, ponctué ça et là de quelques résidus forestiers, est zébré par le cordon de verdure de la vallée de la Seugne.

Ici encore l'art roman est roi, et quelques fleurons sont concentrés aux alentours. Saint-Pierre de Bougneau est sans doute l'édifice le plus archaïque, avec son abside inscrite dans un plan carré et ornée à l'intérieur de deux registres d'arcatures où alternent le plein cintre et l'arc en mitre, ce qui constitue un emprunt direct à l'Antiquité tardive.

L'intérieur de l'abside de l'église de Bougneau : une composition exceptionnelle inspirée des monuments antiques.

La Seugne est une rivière particulièrement propice aux joies de la pêche.

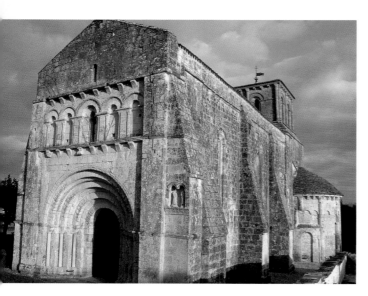

Marignac et Jarnac-Champagne, où la sculpture est reine.

À Marignac, l'originalité vient du plan du chevet, de forme triconque, et d'une extraordinaire frise sculptée qui court dans l'abside principale.

Le chevet de l'église de Jarnac-Champagne, aux arcades brisées très élancées, est encore bien roman, et l'on sera surpris de découvrir dans l'abside de curieuses colonnes jumelles aux formes ondoyantes.

La façade Saint-Martin de Chadenac.

À Chadenac, l'église Notre-Dame, parfois qualifiée de « Marquise de Saintonge », doit sa renommée au foisonnement des sculptures qui animent sa façade occidentale. Les *Vertus* et les *Vices*, les *Vierges Sages* et les *Vierges Folles*, un aréopage de saints et toute une série de masques et de figures monstrueuses témoignent de l'influence de l'art d'Aulnay.

À Avy-en-Pons, si le portail est orné d'une variante du thème des *Vieillards de l'Apocalypse* reflétant l'exubérance de la sculpture venue de Notre-Dame de Saintes, c'est une flèche gothique qui surmonte le clocher, tandis qu'à l'intérieur, une peinture murale du 15e siècle montre une Vierge protectrice entourée de donateurs en costumes de pèlerins.

La « Vierge pèlerine » d'Avy-en-Pons.

L'ancienne croix hosannière et le frontispice de l'église de Pérignac, dont la sculpture n'atteint pas encore la sécheresse des chapiteaux végétaux d'Echebrune.

À Pérignac, la façade comprend deux registres d'arcatures occupés par des hauts reliefs que surmonte un grand Christ en Gloire, inspiré de la cathédrale d'Angoulême.

À Échebrune, au contraire, le décor se simplifie, et seul le jeu d'arcatures aveugles subsiste, souligné par des chapiteaux au décor végétal très répétitif. L'art roman est ici à son crépuscule.

Lonzac, unique église construite intégralement à la Renaissance en Saintonge.

Ancienne carrière souterraine, à Montils.

Au milieu de ce florilège roman, deux églises nous proposent une alternative inattendue. Celle de Fléac-sur-Seugne, avec son architecture de l'extrême fin du Moyen Âge allie des formes gothiques flamboyantes aux premiers balbutiements de la Renaissance et annonce la seconde. C'est à Lonzac que Jacques Galliot de Genouillac, qui possédait un fameux château près de Figeac, fit construire dans les années 1520 une chapelle funéraire pour son épouse Catherine d'Archiac. Ce sanctuaire à la silhouette gothique est doté d'un décor de la première Renaissance, où l'exaltation des vertus guerrières et l'hommage au roi François 1er, dont Galliot fut le maître d'artillerie, l'emportent sur le souvenir de la défunte.

De Pons à Archiac la vigne est reine, et le paysage est dominé par la production du raisin destiné à la fabrication de l'une des eaux-de-vie les plus célèbres au monde.

Le littoral n'a pas l'exclusivité des belles villas de type « balnéaire ». On est ici à Archiac.

Nous sommes là au sud d'une des zones les plus durablement peuplées depuis l'Antiquité. La terre d'Archiac fut dès le Moyen Âge une des châtellenies des plus prestigieuses de la région. Les seigneurs du lieu furent alliés aux comtes d'Angoulême dès le début du 11e siècle. Si le château a disparu, la petite ville, construite au sommet d'une butte, domine encore fièrement la contrée.

Les villages de cette région comptent de nombreuses propriétés s'organisant autour d'une cour fermée par des murs de clôture dont les portes charretières monumentales sont cantonnées de portes piétonnières. Ce type de portails, hérité des logis aristocratiques de l'Ancien Régime, est très répandu dans toute la région de production du cognac.

LES VIGNES DE LA PETITE CHAMPAGNE

Avec la région de Burie, classée en Fins Bois, celle d'Archiac partage le privilège d'appartenir à un des grands terroirs classés du cognac. La Petite Champagne vient au second rang après la Grande Champagne, concentrée en Charente, et avec laquelle elle voisine directement. La distillation du vin, apparue à la fin du Moyen Âge pour le stabiliser, est devenue une spécialité des pays charentais. Le cognac est une eau-de-vie de cépages « ugni blanc », « colombard » ou « folle blanche », issue d'une double distillation et vieillie en fûts de chêne du Limousin. C'est le cœur du chêne qui contribue à la coloration ambrée du cognac. Son évaporation au cours du vieillissement – ce que l'on appelle « la part des anges » – favorise le développement d'un champignon microscopique qui noircit les murs des chais. Le pineau est obtenu grâce à l'arrêt de la fermentation du jus de raisin par un apport de vieux cognac.

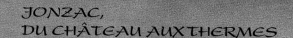

JONZAC, DU CHÂTEAU AUX THERMES

Autrefois ville d'artisanat et de négoce, Jonzac s'est découvert plus récemment une nouvelle destinée, à travers le thermalisme.

LES THERMES DE JONZAC

Les anciennes carrières d'Heurtebise, situées près de grottes magdaléniennes, furent le lieu d'un fait héroïque en juin 1944, lorsque deux jeunes résistants, qui payèrent leur acte du prix de leur vie, firent exploser un stock de munitions de l'armée allemande. C'est à proximité de ce site, que fut découverte en 1979 une source thermale qui donna naissance à un important centre de la Chaîne thermale du Soleil, accueillant chaque année de nombreux curistes.

Prenez deux collines bordant une rivière. Construisez sur l'une une église dont la légende voudrait qu'elle fût donnée à l'abbaye de Saint-Germain-des-Prés par Charlemagne lui-même ; sur l'autre, bâtissez un château dominant de ses tours le cours indolent de la Seugne. Jetez un pont sur le cours d'eau et implantez sur sa rive opposée un couvent de Carmes doté d'un cloître classique ; agrémentez le tout d'un ensemble d'immeubles du 19e siècle aux belles façades de pierre et vous obtiendrez la petite cité de Jonzac, capitale de la Haute Saintonge, au cœur des terres viticoles les plus méridionales de la région. Si l'église conserve une façade romane sur laquelle de petites niches dotées de toits pointus abritent d'énigmatiques têtes de personnages, le reste de l'édifice a été en grande partie reconstruit aux 16e et 19e siècles. Tout à côté, et nullement incongrue, une belle halle métallique, aujourd'hui rehaussée de couleurs pastel, fut édifiée la même année que la tour Eiffel.

Sur la colline voisine, le château, reconstruit après la guerre de Cent Ans, conserve son entrée inscrite dans un châtelet ourlé de mâchicoulis et coiffé des toits en poivrières. À l'intérieur, les remaniements opérés au 17e siècle sont encore perceptibles, dans ce qui est désormais la mairie. Le château abrite aussi, derrière sa muraille, un étonnant petit théâtre du 19e siècle. Une partie de la ville correspond à l'ancienne basse-cour du château, encore dotée de sa porte à mâchicoulis.

Moulins entre Jonzac et Léoville. À partir de la fin du Moyen Âge, les moulins à vent ont relayé les moulins à eau.

Autour de Jonzac, la vigne est encore très présente, structurant les perspectives et soulignant l'horizon de ses rangs ordonnés. Les villages se nichent dans les plis du paysage, au creux des petits vallons où courent des ruisseaux franchis par d'antiques petits ponts faits de pierres plates, comme on peut en voir à Neuillac.

L'église de Champagnac, dans la campagne de Haute Saintonge.

Le château de Meux, logis du 15e siècle, et la nef de l'église.

À Meux, un beau logis du 15e siècle, desservi comme souvent par une tourelle d'escalier en vis, jouxte l'église dont le chevet plat est déjà gothique. Ici aussi, les possessions de grandes abbayes, parfois lointaines, jalonnaient les routes du sel et des richesses du littoral. Saint-Martial de Limoges possédait au 11e siècle le prieuré de Saint-Sauveur « Vita Aeterna », aujourd'hui Saint-Martial-de-Vitaterne. L'église de cet ancien monastère, bien que mutilée, nous fournit un des exemples les

La façade de l'église de Fontaine-d'Ozillac, qui juxta-pose les arcatures romanes et un portail du 16e siècle et l'église, plus rustique, de Messac.

plus complets d'une architecture romane archaïque, construite en moellons.

L'art roman est toujours là, comme un *leitmotiv*, tout comme les différentes phases de remaniement gothiques, à commencer par l'introduction des premières voûtes d'ogives, dont l'église d'Agudelle, dépendance de l'abbaye angoumoisine de La Couronne, est un remarquable témoin. Au sud de Jonzac, l'église romane de Fontaine-d'Ozillac présente une version élégante et soignée du thème de la Psychomachie, montrant des Vertus guerrières qui triomphent des Vices. La nef de l'église, élargie au 16e siècle, possède une seconde façade, de la Renaissance, un phénomène que l'on observe sur d'autres édifices de ces contrées méridionales, où la croissance a repris après la guerre de Cent Ans. Mais la période noire où la peste se conjuguait avec la violence des hommes trouve encore un écho grandiloquent dans les peintures macabres retrouvées sur les piliers de l'église de Léoville.

Malgré ces épisodes douloureux, la vie a toujours repris le dessus et les nombreux moulins à vent qui coiffent les crêtes de tout le pays symbolisent à eux seuls ce souffle qui jamais ne s'épuise.

Vision bucolique du paysage de la Haute Saintonge à Sousmoulins.

AU CŒUR DE LA FORÊT,
LA DOUBLE SAINTONGEAISE

Les noms des trois chefs-lieux de cantons les plus méridionaux du département – Montendre, Montlieu-la-Garde et Mont-guyon – font tous référence à des « monts » qui sont loin d'être des cimes. Il est vrai que le vallonnement a tendance à s'accentuer dans cette partie de la Saintonge.

Mais la topographie seule ne suffit pas à caractériser les paysages de cette région singulière. S'ajoutant aux ondoiements du relief, les sols acides, les affleurements de pierre de grisons – un grès extrêmement friable aux couleurs ternes – et la couver-ture forestière contribuent à créer un terri-

Une vue de Montlieu-la-Garde depuis la tour de guet forestière située à proximité du bourg.

LA MAISON DE LA FORÊT A MONTLIEU-LA-GARDE

La Double Saintongeaise est un terroir si particulier et si fragile qu'il valait bien la constitution d'un véritable conservatoire de l'art de bâtir et des savoir-faire traditionnels de cette région. La Maison de la Forêt, associée à un centre de formation et de découverte, résulte, comme souvent, du travail d'une association. Horizon Bois Forêt a sauvé des bâtiments abandonnés ou voués à disparaître pour les reconstruire sur ce site et les faire vivre. Parmi les édifices ainsi restitués, une maison en structure de chêne et torchis, du 18e siècle, et un banc de scie mobile du 19e siècle montrent deux facettes de l'utilisation du bois dans la région.

toire à la fois rude et verdoyant, dont le charme obscur a tout pour séduire les adeptes de tourisme vert. Les espaces de détente ne manquent pas pour découvrir à pied, à cheval, en VTT ou par tout autre moyen ces forêts trouées de landes et de prairies que ponctuent de nombreux étangs. En outre, bien qu'éloignée des centres administratifs du département, cette région est loin d'être enclavée puisqu'elle est traversée par la Nationale 10, un des principaux axes routiers européens, et que Bordeaux n'est qu'à une trentaine de minutes.

Malgré la difficulté à développer une véritable agriculture, divers modes de valorisation de ce terroir ingrat furent mis en œuvre dès le Moyen Âge. Autour de Montguyon et de Montlieu-la-Garde, en particulier, le sol sablo-argileux a donné naissance à une tradition de tuiliers et de potiers. Cette ressource naturelle est toujours exploitée, à travers les usines de traitement de l'argile ou de production de ciment installées à Clérac et à Bussac-Forêt. Depuis le 19e siècle, ce sont les résiniers venus des forêts landaises qui ont apporté leur savoir-faire dans l'exploitation des pins maritimes.

Le château de Montguyon, forteresse aménagée en fonction des progrès de l'artillerie à poudre à la fin du Moyen Âge, lorsqu'il appartenait à la famille de La Rochefoucauld.

Un rare chevet à pans coupés caractérise l'église
Saint-Vincent de Montguyon.

Dans la lande et les bois, l'architecture se met au diapason du paysage ; la beauté est rugueuse et austère. Les granges en pans de bois et torchis de La Barde ou de Saint-Pierre-de-Palais, et celles conservées à la Maison de la Forêt de Montlieu-la-Garde contribuent à l'altérité si radicale de cette région par rapport au reste de la Saintonge. L'étrange pigeonnier circulaire de Chepniers, couvert d'un immense toit à auvent, le dolmen de la Pierre Folle ou encore le château en ruine des puissants seigneurs de La Rochefoucauld à Montguyon ajoutent une touche de rêve, tandis que les nombreux moulins à eau et à vent, les lavoirs souvent couverts de ballets, les puits et fontaines, nous rappellent l'enracinement des gens d'ici et le dur labeur des siècles passés. Il fait aujourd'hui la fierté de la région. On n'oubliera pas, au mois d'août, de se rendre à la fameuse « Foire aux célibataires » de la Génétouze, créée en 1977 et qui connaît toujours un grand succès. Qui a dit que le monde rural ne savait pas se mettre en valeur ?

Le village de La Génétouze, entre étang et bois.

CUEILLETTE DES NOIX

La Haute Saintonge nous rapproche de la Charente méridionale et du Périgord. On ne sera donc pas surpris de trouver ici
une culture qui se développe sur les terres pauvres de ces
régions, et qui caractérise, avec la châtaigne, les terroirs aus-
tères du Massif Central. La cueillette et l'exploitation des
noix fait ici partie des traditions locales. Le moulin à huile
artisanal de M. Tourneur, à Neuvicq-Montguyon, en est le
témoin.

Le dolmen de la Pierre Folle à Montguyon, monument funéraire mégalithique dont la pierre de couverture à la réputation de tourner sur elle-même dans la nuit de Noël. Il suffit d'y croire…

Le sud du département mérite également une mention particulière pour le riche mobilier liturgique de ses églises rurales. De rutilantes œuvres d'artisans locaux des 17e et 18e siècles, qui s'inspiraient des modèles prestigieux de l'art classique et du rococo, font aujourd'hui le bonheur des communes qui ont su les préserver. Une démarche volontaire de protection et de restauration a permis de faire renaître bon nombre de ces petits joyaux aux couleurs chatoyantes. Il faut pousser les portes de ces petits sanctuaires modestes, à Cercoux, à Montlieu, à Orignolles, à Lugéras, à Bédenac et dans bien d'autres localités pour découvrir retables, tabernacles, peintures murales, ex-voto et statues de saints rehaussés d'une palette surprenante de vigueur.

Les calvaires ne sont pas que bretons... et les halles pas seulement de Baltard. Celle de Montendre est en pierre, bien qu'elle soit presque contemporaine des célèbres halles parisiennes.

DE MIRAMBEAU À SAINT-GENIS, LES RIVES D'ESTUAIRE

Malgré son caractère terrien très affirmé, la Haute Saintonge s'ouvre vers la mer, ou du moins possède-t-elle une fenêtre sur l'immense estuaire de la Gironde. Les cantons de Mirambeau et de Saint-Genis-de-Saintonge se partagent un semis de villages qui occupent les collines crayeuses surplombant la rive droite. Les vallons perpendiculaires à l'estuaire créent autant de brèches dans le mur de falaises, tenues désormais à distance des flots par des surfaces marécageuses. Là s'ouvrent les chenaux accédant à de petits ports aux infrastructures légères où les flottilles de bateaux de pêche côtoient quelques voiliers en villégiature. De Vitrezay, le plus au sud, à Port-Maubert, sur la commune de Saint-Fort-sur-Gironde, on découvre ici une ambiance particulière, entre ajoncs et pontons de bois, dans un univers de vase où nichent de nombreux oiseaux.

À Port-Maubert, sur la commune de Saint-Fort-sur-Gironde, l'ambiance paisible d'un petit port.

En bordure de Gironde les carrelets se dressent au-dessus des rives marécageuses.

Des caneaux de drainage munis d'écluses et de vannes quadrillent les marais au pied des falaises le long de l'estuaire.

L'ancien prieuré de Saint-Thomas-de-Conac dépendait de la très lointaine abbaye de Savigny-en-Bresse. Son église fait partie des édifices romans archaïques.

Vers l'intérieur des terres, le paysage agricole reprend ses droits, aux franges de l'ancienne forêt de Landes, qui isolait jadis les bords de l'estuaire. L'autoroute A 10 trace son sillon à travers les collines et les résidus forestiers rappelant les zones inhospitalières que devaient traverser voyageurs et pèlerins de naguère. L'abbaye de la Tenaille, aujourd'hui encore isolée à l'écart des grands axes, au sud de Saint-Genis-de-Saintonge, leur offrait sans doute une halte. Le château de Plassac, superbe demeure du 18e siècle, est quant à lui parfaitement visible depuis la route nationale. Les voyageurs du temps passé pouvaient également trouver refuge près du château de Mirambeau, remplacé à présent par une vaste construction de style éclectique du 19e siècle qui domine le bourg.

Mentionné dès le 11e siècle, le château de Mirambeau a été entièrement repris au 19e siècle dans un style qui évoque la Renaissance.

Saint-Martin du Petit-Niort, un ancien prieuré dont l'église conserve une unique fenêtre du 11e siècle fermée par des dalles de pierre.

À l'extérieur de celui-ci, en direction de la Gironde, le village du Petit-Niort abritait également un prieuré, lointaine dépendance de l'abbaye de Savigny-en-Bresse. De l'ancienne église Saint-Martin, on retiendra surtout le mur nord, ultime vestige de l'édifice primitif, qui conserve une fenêtre à claustra de pierre ajouré de motifs géométriques.

Modillons et chapiteaux de Givrezac

L'archaïsme des églises romanes est une sorte de spécialité de cette région où les murs en moellons, les petites fenêtres à linteaux monolithes et les formes de décor sculpté les plus sommaires constituent un véritable particularisme. De Saint-Martial-de-Mirambeau, et sa veste nef non voûtée, au superbe chevet de Saint-Thomas-de-Conac, cousin de celui de Bougneau, en passant par les remarquables chapiteaux de Consac, les nefs des modestes églises de Semoussac ou de Sémillac et de bien d'autres encore, les exemples sont légion pour qui veut explorer les formes romanes primitives dans l'ancien diocèse de Saintes.

Les chapiteaux de la croisée du transept de Saint-Pierre de Consac sont ornés de curieux motifs géométriques dont certains peuvent être comparés aux percements du claustra de la page précédente.

Le fanal antique de Beaumont, près de Saint-Fort-sur-Gironde, jouait un rôle de sémaphore au-dessus de l'estuaire.

*Les célèbres Fontaines de Beaulon – des sources aux eaux limpides –
ăgrémentent le parc qui entoure ce logis du début du 16e siècle,
residence des seigneurs de Saint-Dizant-du-Gua.*

On compte même ici, sur la nef de l'église de Saint-Dizant-du-Gua, tout à côté du fameux château de Beaulon, un ensemble de fenêtres à arcs outrepassés uniques en Saintonge. Mémoire de traditions wisigothiques ou retour d'influences venues des Maures d'Espagne ? Nul ne saurait le dire. Mais l'art de la maturité romane n'est pas en reste : le chevet de Champagnolle, avec ses modillons obscènes, ou le clocher de Nieul-le-Virouil, succédané de celui de Notre-Dame de Saintes, sont là pour en témoigner. On n'oubliera pas, enfin, les curieux motifs de têtes de chevaux, présents sur l'église de Saint-Quantin-de-Rançannes et que l'on retrouve également au beau portail de Saint-Fort-sur-Gironde, une église dont le clocher coiffé d'un dôme à écailles du début du 16e siècle appelle à la comparaison avec celui de Fléac-sur-Seugne.

Claveaux à têtes de chevaux de Saint-Fort-sur-Gironde.

Le chevet de l'église de Champagnolle et la façade de celle de Saint-Fort-sur-Gironde ; deux facettes de l'art roman en Saintonge méridionale.

PAYS ROYANNAIS
ET DE MARENNES-OLÉRON

Entre Gironde et Seudre, entre l'estuaire géant et le modeste fleuve côtier qui se confond en une multitude de marais, c'est un paysage plus particulier qui se dessine, même si nous retrouvons sur les marges des éléments désormais familiers. L'intérieur des terres se conforme aux composantes agricoles et viticoles de la campagne saintongeaise, ourlée de vallonnements vers les bords de Gironde avant de se conclure en falaises abruptes à l'approche de l'embouchure. Mais la presqu'île d'Arvert, grande langue de terre engendrée par les dépôts du fleuve, qui s'avance vers la mer entre Royan et la Seudre, est, elle, le domaine des grandes plages de sable, des dunes et des forêts de résineux. Au nord, l'embouchure de la Seudre s'ouvre sur un des plus importants bassins ostréicoles au monde, et sans doute le plus réputé. Marennes-Oléron sonne aux oreilles de l'amateur d'huîtres comme Château Pétrus à celles de l'amateur de grands vins. L'île d'Oléron, qui prolonge l'avancée de la presqu'île, s'étire vers l'océan comme pour se détacher définitivement de ce continent auquel elle est désormais liée par un pont.

AU PAYS DES PIBALES

Dans la continuité des paysages de la Haute Saintonge, de petits ports au charme pittoresque jalonnent la rive droite de l'estuaire. Mortagne fut longtemps un port de commerce très animé, le plus important de la Gironde après Bordeaux et Blaye. C'est aujourd'hui une bourgade tranquille, perchée sur la falaise au pied de laquelle tanguent les mâts des voiliers abrités dans le port, qui a réorienté son activité vers le tourisme et la pêche. Les falaises de calcaire blanc abritent, non loin de là, un ancien ermitage que la tradition attribue à saint Martial. En remontant vers Royan, on rencontre le petit port de Saint-Seurin-d'Uzet, capitale de l'esturgeon, où l'on produisait au début du 20e siècle plus d'un tiers du caviar consommé en France. Puis viennent les communes de Barzan et de Talmont qui contribuent, chacune à sa manière, de façon significative à l'image historique et touristique de la Charente-Maritime.

Dans le port de Mortagne sur Gironde les embarcations de plaisance et les bateaux de pêche équipés pour traquer les pibales font bon ménage.

PÊCHE À LA PIBALE

La pibale est le nom girondin de l'alevin d'anguille venu de la mer des Sargasses pour croître dans les eaux saumâtres de l'estuaire. Sa pêche se pratique en hiver, de nuit, sur de petits chalutiers tels que celui de Sébastien Lys, équipés de projecteurs et dotés de deux filets relevés de chaque côté de l'embarcation, les haveneaux. On peut aussi pêcher à pied depuis la rive, à l'aide d'un pibalour, sorte de grande épuisette dotée d'un long manche. La pêche à la pibale constitue, avec la pêche au maigre, une des spécialités des petits ports charentais de l'estuaire.

*Le moulin du Fâ, à Barzan, édifié sur les vestiges d'un **fanum** gallo-romain.*

Si le site du Fâ à Barzan n'est devenu un chantier archéologique de premier ordre que depuis quelques années, Talmont fascine depuis longtemps des milliers de visiteurs à chaque saison touristique. Carte postale vivante, le village, accroché à une avancée calcaire qui surplombe la Gironde, a su conserver un ensemble de maisons saintongeaises cernées de roses trémières dont la simplicité est l'atout majeur. Mais c'est à son église romane, dédiée à sainte Radegonde, que ce petit bourg doit sa renommée. Établie sur l'extrémité de la pointe rocheuse, son soubassement est inexorablement sapé par les flots, et sa nef s'est déjà abîmée dans l'estuaire à la fin du Moyen Âge. C'est cette position exceptionnelle et cette fragilité, sans doute, qui confèrent à ce sanctuaire son statut particulier, déjà justifié par la présence d'un portail nord s'ouvrant sur le vieux cimetière et dont les voussures sont sculptées d'acrobates et de dragons. À l'intérieur, une maquette de bateau faisant office d'ex-voto nous rappelle que les hommes d'ici furent de tout temps confrontés aux dangers de la navigation sur l'estuaire et sur l'océan. Les carrelets, ces cabanes de pêche au filet reliées au rivage par des pontons de bois, commen-

SITE ARCHÉOLOGIQUE DU FÂ À BARZAN

S'agit-il de l'antique *Novioregum*, du *Portus Santonum*, le port maritime de Saintes, établi sur la Gironde, ou sommes nous en présence d'une ville plus importante encore ? Telle est la question qui taraude les archéologues et les historiens confrontés à des découvertes sans cesse renouvelées sur ce site qui est désormais un véritable petit Pompéi saintongeais. Sur la commune de Barzan, autour de l'ancien moulin du Fâ, dont le tertre était déjà réputé être le soubassement d'un *fanum* – un temple gallo-romain – les prospections aériennes puis les fouilles au sol ont permis de faire surgir une vaste agglomération antique, s'ouvrant sur des installations portuaires. Nul doute que ces vestiges d'exception ne cesseront de s'enrichir de nouvelles découvertes dans les années à venir.

cent ici à se faire de plus en plus nombreux, même si une grande partie d'entre eux avait été détruite par la tempête de décembre 1999. Ces constructions précaires font tellement partie du paysage de la côte charentaise qu'elles ont été rapidement restaurées.

En remontant dans les terres, entre Gironde et Seudre, vers la bourgade de Cozes, l'église d'Arces-sur-Gironde mérite un détour. Bien que très perturbée par les guerres de Religion, elle conserve dans ses parties orientales romanes un ensemble de chapiteaux sculptés, dont certains furent rehaussés de couleurs au 19e siècle, qui témoignent de façon étonnante de l'influence des sculpteurs de la croisée du transept de Saint-Eutrope de Saintes au début du 12e siècle.

À Cozes, le village se groupe autour de son église, alliant un clocher gothique à une nef totalement réinventée dans un style néo-médiéval, et de sa halle en bois du 19e siècle, très animés les jours de marché.

LA MAGIE DES GIROUETTES

Installé dans une ferme saintongeaise sur les hauteurs des falaises entre Mortagne et Saint-Seurin-d'Uzet, Claude Cosamadès a mis son savoir-faire au service d'une passion : la création de girouettes. Dans ce paysage battu par les vents de l'estuaire, les petits moulins aux formes les plus originales tournoient et agitent leurs couleurs autour de l'Atelier de la Vieille Cour, où le créateur manie la scie et le marteau.

Quel que soit le point de vue par lequel on aborde le village
de Talmont, il est impossible de rester indifférent à l'immensité
du ciel, à la rugosité des falaises, à l'insondable profondeur
des eaux qui semblent à tout moment capables d'anéantir
ce fragile bout de terre à la beauté lumineuse.

ROYAN
ET LA CÔTE D'ÉMERAUDE

Les communes les plus proches de l'embouchure constituent un ensemble dont la diversité ne fait que s'accentuer, tant en raison de la topographie particulière qui se dessine ici qu'en fonction de leur proximité avec le grand centre touristique qu'est devenu Royan. De Meschers à Saint-Augustin, la côte se fait moins austère et les plages qui alternent avec les rochers accueillent des flots d'estivants en mal de soleil et de mer. À Meschers, les falaises, qui tombent directement dans les flots, sont creusées d'une multitude de grottes, dont certaines sont aménagées en habitats troglodytes. Les grottes de Regulus et de Matata, en particulier, sont ouvertes à la visite.

À l'approche de l'extrémité de l'estuaire, l'agriculture et la pêche cèdent rapidement le pas aux activités balnéaires et touristiques.

*Les falaises de Meschers forment un petit univers
étrange et cahotique, en totale rupture avec la
douceur des paysages de la Saintonge. Leurs grottes
servirent souvent d'ultime refuge.*

Plage et soleil, baignade et plaisirs nautiques font de Royan une des stations balnéaires les plus prisées de la côte atlantique française. La destinée singulière de Royan, et, par là même, des communes voisines, est née avec la mode des bains de mer, au cours du 19e siècle. Le taux d'ensoleillement annuel presque équivalent à celui de la Côte d'Azur et la présence de plages de sable fin déposées dans les conches par les courants de l'estuaire représen-tent des atouts évidents. La proximité de la métropole bordelaise, rapprochée par le bac de la Pointe du Médoc, puis le développement du chemin de fer firent le reste. Dès les années 1860, la côte royannaise fut visitée par des personnalités du monde littéraire, de Jules Michelet, invité chez son ami Eugène Pelletan, à Émile Zola, qui vinrent y trouver le repos ou l'inspiration. La conche de Pontaillac devint rapidement un rendez-vous mondain.

Au début du 20e siècle, la ville de Royan s'étoffa, et se dota des équipements que se devait de proposer toute station à la mode, en particulier un casino.

Cet univers de plaisir fut en grande partie anéanti par le bombardement allié destiné à affaiblir l'ultime poche de résistance allemande fixée autour de la ville en 1945. Des centaines de morts, la destruction de la quasi-totalité du centre de la ville produisirent un véritable traumatisme dont les blessures se cicatrisent lentement. Cet événement tragique fut l'occasion d'une reconstruction complète du centre selon un plan établi dès 1947 par l'architecte bordelais Claude Ferret, secondé par Louis Simon pour la conception d'une partie des bâtiments. Royan devint ainsi, bien involontairement, un des laboratoires de l'architecture moderne dans les années 1950.

Depuis quelques années, la ville de Royan a compris la valeur et l'originalité de son patrimoine du 20e siècle. L'ouverture du Musée de Royan, dans l'ancien marché de Pontaillac symbolise cette prise de conscience, et les monuments du nouveau Royan font désormais partie de l'identité locale. L'élégante courbe du Front de Mer, qui épouse la conche, ouvre ses bras pour accueillir en été le public nombreux d'une des manifestations les plus populaires de la région, « le Violon sur le Sable ».

ROYAN ANNÉES 1950

Après les destructions de la guerre, le mouvement Moderne a fortement influencé l'architecte et urbaniste bordelais Claude Ferret et les principaux architectes de la reconstruction de Royan, tels que Louis Simon, à travers les modèles très libres qu'en proposait l'architecture brésilienne de l'époque. Royan est donc devenue la station balnéaire la plus « années 1950 » du littoral français, dans la mesure où les autres villes frappées par les bombardements et reconstruites elles aussi – Le Havre, Cherbourg, Brest, Toulon… – étaient surtout des ports commerciaux ou militaires où l'urgence a prévalu sur la recherche esthétique. Le caractère original et ludique de l'expérience royannaise n'a cependant pas été compris tout de suite, ce qui explique l'incroyable disparition du casino – une œuvre exceptionnelle – ou du portique du Front de Mer et le traitement dévastateur qu'a subi le Palais des Congrès.

On goûte aujourd'hui avec un peu plus de sérénité les qualités de ces formes simples, dont l'éclat blanc est rehaussé ici ou là de quelques touches de couleurs primaires chères à Le Corbusier. Le vaste immeuble du Front de Mer, le Palais des Congrès de Ferret, le fameux marché couvert en voile de béton ourlé en forme de coquillage, œuvre de l'ingénieur Sarger, le temple protestant aux lignes horizontales très sobres sont les morceaux de choix de cet ensemble. Mais le monument le plus célèbre est sans doute la superbe église Notre-Dame conçue par Guillaume Gillet et l'ingénieur Lafaille. Royan, qui compte aussi de nombreuses villas et maisons individuelles, est désormais un véritable conservatoire de l'art de vivre à l'époque du baby-boom.

Parmi les joyaux de l'architecture moderne royannaise, c'est évidemment l'église Notre-Dame et le marché couvert en forme de coquillage qui tiennent la corde. Mais les amateurs d'ambiances balnéaires plus « 1900 » ne seront pas déçus non plus, car les bombardements ont épargné les zones périphériques. Le quartier du Parc, situé au sud, offre un ensemble extrêmement riche de villas et de belles demeures aux allures de petits châteaux gothiques, de maisons pseudo normandes ou basques ou encore de temples chinois… Il y en a pour tous les goûts, et l'on trouve même, le long de la plage méridionale, une petite réplique de l'ancien casino de Pontaillac jouxtant la villa « Ombre Blanche », aux formes résolument modernes. Pour conclure une visite à Royan, les « Jardins du Monde » offrent désormais une halte végétale et exotique dans une ambiance architecturale très contemporaine.

Les architectures balnéaires, parfois extra-vagantes, s'étalent de part et d'autre de l'agglomération royannaise, et l'on pourra poursuivre leur découverte dans les communes voisines. Saint-Georges-de-Didonne, qui possède à présent un parc de découverte de l'Estuaire, Vaux-sur-Mer, qui conserve le chevet d'une belle église romane, et Saint-Palais-sur-Mer, resserré autour de sa crique, sont des stations non moins prisées. Villas somptueuses énumérant leurs petits noms au milieu des pins, équipements de sports et de loisirs, plages et conches alternant avec des rochers hérissés de carrelets, tel est le paysage de la Côte de Beauté.

À Royan, les bateaux de pêche se tiennent à l'écart des plages, bordées de villas balnéaires dont les silhouettes enchevêtrées produisent l'effet d'une anarchie savamment orchestrée.

DES PINS ET DES DUNES :
LA PRESQU'ILE D'ARVERT

Avant d'aller plus loin sur la côte, on aura une pensée pour la vigie qui veille au large, isolée dans le maelström des eaux, le phare de Cordouan. Celui-ci guide les navires depuis le 17e siècle à la sortie de l'estuaire. Ce monument majestueux, qui ne se laisse aborder qu'en bateau, est un pur joyau de l'architecture classique et une prouesse technique des ingénieurs du roi.

Loin au large, Cordouan, comme un mirage…

À l'ouest de Royan, la presqu'île d'Arvert est une immense langue de sable dunaire, formée par les courants de l'estuaire que contrarient les vagues de l'océan. Ces territoires hostiles, où le sable le disputait aux marais, n'étaient occupés autrefois que par quelques villages de pêcheurs et de petites communautés monastiques cherchant l'isolement du désert. Entre Histoire et légendes, les villages engloutis refont surface dans l'imaginaire collectif. Il n'est pas étonnant que lors des dragonnades consécutives à la révocation de l'Édit de Nantes, de nombreux protestants soient venus trouver refuge dans cette contrée isolée. Mais depuis le 19e siècle les choses ont bien changé. La plantation de l'immense forêt de la Coubre, qui fixa les dunes de l'extrémité de la presqu'île, et l'assèchement d'une partie des marais autour des Mathes ont entraîné un véritable bouleversement. La presqu'île, avec ses airs de

Le phare de la Coubre. En haut de ses 300 marches, on a le monde à ses pieds.

Fondé en 1965 par Claude Caillé, le parc zoologique de La Palmyre, qui occupe une surface de plus de 10 hectares, est un des plus importants d'Europe, tant par la qualité de son site et de ses animations que par le nombre des espèces qui y sont représentées.

côte landaise, concentre aujourd'hui une part importante des équipements touristiques et balnéaires du département.

En remontant vers la Pointe d'Arvert, le village de La Palmyre, extension moderne des Mathes, est un haut lieu du tourisme balnéaire, mais sa célébrité vient aussi de la présence d'un des plus prestigieux parcs animaliers de France.

La forêt de la Coubre, plantée au 19e siècle pour fixer les dunes, couvre une surface de plus de 4 000 ha où domine le pin maritime. Elle est sillonnée par une multitude de sentiers de randonnée, et ponctuée ici où là d'anciennes casemates et batteries du Mur de l'Atlantique. La pointe de Bonne Anse et son banc de sable se recourbant comme une trompe d'éléphant abrite le phare de la Coubre, un des plus puissants de la côte atlantique, qui offre un panorama exceptionnel du haut de sa plate-forme qui se dresse à 64 m. Ce phare, édifié à plus de 2 km du rivage, n'en est plus distant que de 800 m. Son prédécesseur, construit en 1895, s'est effondré dès 1907, sapé par les flots. L'instabilité du littoral et la dangerosité des courants créent ici des règles qui s'appliquent aussi bien aux navigateurs qu'aux baigneurs et autres sportifs. Le passage du Pertuis de Maumusson est réputé être un des plus périlleux du littoral français. Ces règles de prudence valent aussi pour la grande plage de la Côte Sauvage qui s'étire de la pointe de Bonne Anse jusqu'à la Pointe Espagnole, face à l'île d'Oléron.

LA SEUDRE ET
LE BASSIN DE MARENNES

Sur le flanc nord de la presqu'île d'Arvert, plus calme que la côte méridionale, La Tremblade, Ronce-les-Bains, Arvert, allient déjà les caractéristiques balnéaires à celles de l'ostréiculture. Chenaux, claires, cabanes aux couleurs vives, bordent la rive méridionale de l'estuaire de la Seudre. Ici les eaux des marais et des claires mêlées à celles du fleuve et de la mer des Pertuis créent un territoire complexe, une sorte de mosaïque aux dominantes vertes et bleues frangées de terres humides. Les marais sont quadrillés de chenaux sur lesquels se déplacent les bateaux à fond plat des mareyeurs. La Tremblade, premier port ostréicole de France, possède un petit musée consacré à l'histoire de cette activité. On peut également découvrir le paysage des marais en empruntant le petit train de la Seudre, qui relie La Tremblade à Saujon. Le village de Mornac-sur-Seudre est un de ces petits ports nichés dans les marais de l'embouchure. Son église Saint-Nicolas, dont le chevet roman est orné d'une arcature aveugle rappelant les chapelles de Saint-Eutrope de Saintes, rivalise avec ses voisines de Breuillet et de Saint-Sulpice-de-Royan.

Un paysage sans équivalent : les chenaux du bassin ostréicole de Marennes-Oléron.

Un des quatre chapiteaux romans conservés dans l'église de Saujon. Une pêche quasi miraculeuse...

La tour de Broue.

Tout au fond de l'estuaire de la Seudre, l'ancien petit port de Ribérou, à Saujon, a connu une certaine prospérité jusqu'au cours du 20e siècle, avant son envasement. Jadis propriété de l'abbaye Saint-Martial Limoges, qui y possédait un prieuré, Saujon s'est converti au thermalisme, comme Rochefort et Jonzac, et ce depuis 1860. Son église moderne recèle quatre beaux chapiteaux romans provenant du prieuré médiéval. Sur l'un d'eux, un personnage ploie sous le poids d'un énorme poisson qu'il tient sur son épaule. Voilà qui n'a rien de surprenant dans une région où l'on armait encore pour la pêche à la morue jusqu'au 19e siècle. Plus au nord, le village de Saint-Sornin se trouve au cœur des vastes domaines jadis contrôlés par l'Abbaye-aux-Dames de Saintes. La belle église romane de l'ancien prieuré est dotée d'un chevet gothique qu'ornent des peintures murales du 17e siècle. Sur une colline à l'écart du village se dresse la tour de Broue, qui veille sur le marais de Brouage.

Ancienne tour maîtresse d'un château édifié pour contrôler les marais et l'activité portuaire, elle est malgré son état de ruine un témoin précieux de l'art de bâtir les fortifications à l'époque romane. Son promontoire sert désormais à des activités bien plus pacifiques. Les nombreuses espèces qui nichent dans les marais sous l'œil vigilant de la Ligue de Protection des Oiseaux sont observées par les ornithologues et les photographes depuis ce point privilégié. Comme au bord de la Gironde, des nids de cigognes sont installés à proximité de ce site naturel de toute beauté, d'où la vue plonge sur les marais et jusqu'à l'île d'Oléron.

Saint-Just-Luzac.

À Saint-Just-Luzac, la construction d'une église démesurée, entreprise par les abbesses de Saintes à l'extrême fin du Moyen Âge, aboutit à un édifice gothique curieusement inachevé. Sur la commune a été restauré et aménagé pour l'accueil des visiteurs un des moulins à marée qui avaient pour fonction de chasser la vase des chenaux.

Marennes compte son lot de cabanes et de claires, et l'on ne saurait bouder la dégustation d'huîtres sur le petit port de la Cayenne, toujours très animé. Mais c'est surtout la flèche élancée du clocher gothique de l'église Saint-Pierre qui sert de signal sur l'horizon plat du bassin. Seul le viaduc de l'île

Le clocher de Marennes veilles sur le bassin ostréicole, été comme hiver...

OSTRÉICULTURE

L'embouchure de la Seudre et les marais qui la bordent, auxquels s'ajoutent ceux de l'île d'Oléron, constituent le principal centre d'élevage ostréicole en France, et le plus réputé. Ici, l'huître est reine, sa culture s'étant développée après que les marais salants eussent été transformés en « claires », ces bassins d'affinage des précieux coquillages qui font la spécificité de la production locale. L'huître locale primitive, la plate de Marennes, ayant été décimée au début du 20e siècle par une épidémie, c'est désormais l'huître portugaise, implantée fortuitement à la suite d'un naufrage, qui est produite sur le bassin. Une fois « fixées », les jeunes huîtres sont « détroquées », c'est-à-dire séparées et placées dans des sacs. On les expose ainsi aux marées sur des parcs, sortes de tables dressées en eaux peu profondes, où elles bénéficient de l'apport de plancton. Enfin, arrivées à maturité au bout de deux ans environ, elles sont immergées dans les eaux saumâtres des claires, ce qui leur permet de « verdir » grâce à la navicule bleue, une algue microscopique, et d'acquérir leur goût si particulier. L'élevage des huîtres demande beaucoup de soins et le métier d'ostréiculteur est rude.

d'Oléron, avec ses 30 m de hauteur, tente vainement de rivaliser avec elle. À l'extérieur du bourg, un des châteaux les plus élégants de la région, la Gâtaudière, fut construit au 18e siècle par François Fresneau, ingénieur du roi à Cayenne et découvreur de l'hévéa, l'arbre à caoutchouc.

Arrivé à l'extrémité de l'embouchure de la Seudre, où s'ouvre sur la rive droite le port ostréicole de Bourcefranc, on peut désormais emprunter le viaduc pour se rendre sur l'île d'Oléron. Le pont offre une vue imprenable sur le coureau qu'il franchit en une courbe élégante, et l'on peut y observer comme à vol d'oiseau l'étonnant Fort Louvois, planté au milieu des flots. Cette forteresse, reliée à la terre ferme par un chemin submersible à marée haute, faisait partie – on s'en doute – du dispositif de défense de Rochefort, en barrant le passage du coureau aux navires qui tenteraient de s'introduire par le pertuis de Maumusson.

Fort Louvois, comme à la dérive au pied du pont d'Oléron.

La composition rigoureusement symétrique et la présence d'un soubassement en glacis confèrent au château de la Gâtaudière une certaine sévérité, que vient équilibrer fort heureusement l'élégant avant-corps aux baies en plein cintre, rythmé de pilastres ioniques.

OLÉRON, L'AUTRE ÎLE

Oléron est un monde en soi, tout comme l'île de Ré, sa sœur plus septentrionale. Moins brillante et moins hautaine, peut-être, plus austère aussi, elle distille son charme par petites touches et ne se laisse pas embrasser aussi facilement, malgré l'affluence qu'elle connaît aux heures chaudes de l'été. Car la plus grande île de France métropolitaine après la Corse est aussi une des plus touristiques. Une île-presqu'île, qui semble s'arracher au continent, dont elle n'est séparée que par l'étroit pertuis de Maumusson. Connue des Romains sous le nom d'Ularius, elle fut largement exploitée au cours du Moyen Âge, où elle s'enrichit dans le commerce du sel. Les comtes d'Anjou y installèrent des dépendances de puissantes abbayes, telles que la Trinité de Vendôme ou l'Abbaye-aux-Dames de Saintes, et les ducs d'Aquitaine lui accordèrent un intérêt tout particulier. On attribue d'ailleurs à la duchesse Aliénor, au 12e siècle, la constitution des Rôles d'Oléron, le plus ancien code de la navigation maritime connu en Europe.

L'arrivée sur l'île par le pont ménage une heureuse transition avec le paysage du bassin de la Seudre. De part et d'autre du chenal d'Ors, on retrouve les mêmes cabanes ostréicoles aux couleurs vives que sur le continent, les mêmes claires et les mêmes parcs à huîtres. La forteresse du Château-d'Oléron, née à l'époque des Plantagenêt, devint au 17e une pièce maîtresse de la défense de Rochefort. Fortifiée par Vauban à partir de 1685, sa citadelle croisait ses feux avec ceux de fort Louvois pour contrôler le passage du coureau. La ville elle-même fut réorga-

nisée selon un plan régulier, se juxtaposant à l'ancien bourg, partiellement conservé autour de l'église Notre-Dame. Cette dernière, comme plusieurs églises de l'île, possède un remarquable mobilier liturgique du 18e siècle. La citadelle, bombardée au cours des combats de la Libération, est aujourd'hui restaurée et mérite une visite, pour son architecture – en particulier le long bâtiment de l'ancien magasin aux vivres prolongé par le logis du gouverneur – ainsi que pour le petit musée mémorial des soldats de la Nouvelle-France qu'abrite un des bastions.

La citadelle du Château-d'Oléron, restaurée et mise en valeur, devient un site de promenade pour ceux qui veulent fuir les plages surpeuplées.

Dans la partie méridionale de l'île, qui se termine par les dunes de la Pointe de Gatseau, la commune de Saint-Trojan-les-Bains est, comme son nom l'indique, une station balnéaire prisée. Ici aussi, un village ancien fut englouti par les sables, entraînant la naissance d'un nouveau bourg à partir du 17e siècle, sauvé lui-même par la plantation de la forêt de pins qui a fixé les dunes au 19e siècle.

À Grand-Village-Plage, on se plaira à visiter la Maison des Déjhouqués, véritable réplique d'une maison insulaire blanchie à la chaux, construite et aménagée en musée d'arts et traditions par les membres du groupe folklorique éponyme. À proximité des grandes plages de cette côte sud, sur la commune voisine de Dolus, le petit prieuré de la Perroche, ancienne dépendance de l'abbaye de Sablonceaux, a légué une des trois églises romanes qui subsistent dans l'île.

Sur le flanc nord de l'île, la Route des Huîtres, qui serpente au milieu des marais et des claires, mène du Château à Boyardville. Ce petit port est né en 1803 pour abriter les ouvriers chargés de la construction, au large, de fort Boyard. Ce navire de pierre, devenu un véritable emblème du département, devait défendre le passage entre les îles vers l'em-bouchure de la Charente. Devenue une carcasse sans objet, sa silhouette hante désormais l'horizon des îles, se prêtant à tous les rêves. À l'inverse, le bourg de Boyardville s'est développé pour devenir une station balnéaire familiale, à proximité de la forêt des Saumonards, bordée d'une des plus grandes plages de l'île.

Depuis le chenal de Boyardville, le téléscopage des images pourrait faire croire à l'enlèvement de fort Boyard par un cargot facécieux.

Édifié sur un banc de sable à mi-chemin entre les îles d'Aix et d'Oléron, fort Boyard, projeté dès le début du 19e siècle, ne fut achevé qu'en 1859. Trop tard..! Les progrès de l'artillerie le rendaient obsolète au moment même de son armement. Après être resté longtemps en déshérence, il s'est trouvé une vocation en devenant la vededette d'un jeu télévisé qui lui assure désormais la célébrité.

Par le village de Sauzelle, on peut rejoindre Saint-Pierre-d'Oléron, la « capitale intérieure » de l'île, dont les rues commerçantes très animées cachent quelques trésors. Non loin de église, reconstruite après les guerres de Religion et dont le curieux clocher surmonte la façade classique, est conservée une enseigne d'auberge du 16e siècle. La rue Pierre-Loti abrite quant à elle le très discret jardin des Aïeules, où repose l'écrivain. Sur la place Camille-Mémain, enfin, se dresse la plus grande lanterne des morts du département, et aussi la plus tardive, puisque son fût à pans coupés est déjà orné de lancettes gothiques. Après s'être attardé dans le petit musée Aliénor-d'Aquitaine, on pourra se diriger vers la côte sud de l'île, et le port de pêche de La Cotinière, ou repartir vers le nord en passant devant le château de Bonnemie, siège d'une ancienne baronnie insulaire.

PÊCHE À LA CÔTINIÈRE

Le petit port de La Côtinière, sur le flanc sud de l'île d'Oléron, est un des principaux ports de pêche de la Charente-Maritime. Sa spécialité était autrefois la pêche aux crevettes. Si cette pêche particulière n'est plus aujourd'hui aussi importante, c'est parce que des travaux d'agrandissement et de recreusement effectués à la fin des années 1970 ont permis de diversifier la flottille et d'accueillir des bateaux de 16 m. Soles, langoustines, merlus et autres espèces y sont maintenant exploitées au même titre que les fameuses crevettes roses et grises, dont la pêche est pratiquée par les plus petites embarcations.

L'éclade est une façon bien charentaise et fort conviviale de déguster les moules. Celles-ci sont posées les unes contre les autres et recuvertes d'aiguilles de pin que l'on enflamme.

À Saint-Georges, le cœur du village est encore occupé par deux ensembles monumentaux. L'ancienne halle en bois couverte d'ardoise apporte une note pittoresque à côté de la grande église romane dotée d'un vaste chevet plat gothique. Cette ancienne possession de l'abbaye de la Trinité de Vendôme a connu bien des vicissitudes, mais elle a conservé son portail tripartite, dont les arcades latérales aveugles sont ornées de d'appareils décoratifs. À l'intérieur, une vierge en bois serait la figure de proue du navire d'un prince danois miraculeusement épargné lors d'un naufrage. Au sud-ouest du bourg, sur la lande qui borde la côte sauvage, on ne saurait se détourner de la nonchalance des petits villages de Chaucre et Domino, véritables conservatoires du bâti traditionnel, avec leurs petites placettes appelées des cantons et leurs maisons traditionnelles en moellons blanchies à la chaux.

La forte activité de plaisance de La Brée-les-Bains, sur la côte septentrionale, ne doit pas faire oublier la présence d'un authentique marais salant encore en activité et d'un des derniers moulins à vent de l'île.

CUCURBITACÉES ET MELONS

Oléron était appelée au Moyen Âge *Olus Oleriis*, l'île aux légumes. La culture des cucurbitacées n'y est donc pas une nouveauté. Au-delà de la mode des citrouilles relancée par une fête d'importation, ces légumes aux formes curieuses connaissent un véritable regain d'intérêt de la part du public et retrouvent leur place dans la gastronomie. Citrouilles, potirons, courges, giraumonts, coloquintes, toutes les espèces trouvent à s'épanouir sur l'île, mais aussi sur les terres continentales du département.

Le melon est devenu lui aussi un produit estampillé « Charente-Maritime », puisque le département se place parmi les principaux centres de production en France.

Saint-Denis-d'Oléron est l'ultime destination de ce périple saintongeais et oléronais. La plaisance s'y pratique également, grâce à un port recreusé à la suite de son envasement. L'église, qui appartenait à l'Abbaye-aux-Dames de Saintes, présente un portail analogue à celui de Saint-Georges. Mais c'est en dehors du bourg, sur la lande battue par les vents du large que se dresse le gardien de ces lieux, le phare de Chassiron, qui veille sur les écueils du pertuis d'Antioche, un passage à peine moins dangereux que celui de Maumusson. Du haut du phare, les vagues de l'océan venant se briser sur les rochers et les écluses à poissons évoquent quelques troupeaux de moutons venant sagement rejoindre leurs enclos. Mais les jours de tempête, la rêverie laisse place aux souvenirs de naufrages. On pourrait croire que la Charente-Maritime s'arrête là où commence le tumulte des flots. Ce serait ignorer que cette terre paisible fut aussi féconde en aventuriers et en découvreurs, prompts à affronter les horizons lointains à la fois terribles et riches de promesses.

BIBLIOGRAPHIE

Aimer la Charente-Maritime, Christian Gensbeitel et Marylise Ortiz, photographies de Bruno Barbier, éd. Ouest-France/Édilarge, Rennes, 2003.

Charente-Maritime, Encyclopédie Bonneton, Paris, 2001.

Charente-Maritime. Balades aériennes, Michel Bernard et Christian Gensbeitel, éd. Patrimoines et Médias, Chauray/Prahecq, 1999.

Charentes, éd. MSM, Vic-en-Bigorre, 2005.

Histoire du Poitou et des pays charentais, Jean Combes (dir.), éd. De Borée, Clermont-Ferrand, 2001.

La Charente-Maritime, 2 vol., Guides Gallimard, Paris, 1997.

La Charente-Maritime. L'Aunis et la Saintonge des origines à nos jours, Jean Combes et Michel Luc (dir.), éd. Bordessoules, Saint-Jean-d'Angély, 1981.

Le patrimoine des communes de la Charente-Maritime, 2 vol., éd. Flohic, Paris, 2002.

maquette, mise en pages : philippe floris

infogravure : éric rosset

suivi d'édition : louis blais

achevé d'imprimer en octobre 2005

sur les presses de Novoprint (U. E.)

I.S.B.N. 2-910137-85-6

éditions
patrimoines
médias

impasse guerry - 79230 **prahecq** / tél 05.49.35.29.58 / fax 05.49.26.44.78 / www.patrimoines-medias.fr